インタビュー大全

相手の心を開くための14章

Everything you should know
about interviews:
14 Chapters
to open someone's heart

はじめに

　インタビューという仕事を長年続けてきて、「聞き方ひとつで相手の答えは変わる」ということに気づきました。同じ内容の質問でも、ありきたりな答えしか返ってこないこともあれば、期待以上に踏み込んだ話までしてくれることもあります。また、一般的には失礼にあたるような質問も、どうしても聞かなければならない場合は聞き方を工夫すると、気分を害する様子もなく話してもらえました。
　情報の断片ではなく、その人ならではの話を聞き出す際には、聞かれた相手がどう思うか、また、どのような聞き方をしたら答えやすいかを考慮した質問をする必要があります。そのような質問の仕方をするために、プロのインタビュアーは「インタビュー・ストラテジー」、すなわち聞き出すための「戦略」を用います。
　おそらく多くのインタビュアーは、このストラテジーを経験的に身につけ、無意識に使っています。ちなみに世間には「話し上手」と言われる人がいますが、その人たちは相手から話を引き出すのが上手い「聞き上手」であり、やはりストラテジーを使っています。しかし、会話が上手いのは人見知りをしない性格だからなど、個人の特性からくるものだと思われがちです。インタビュアーも「話し上手」も、実は共通して人から多くの話を引き出すストラテジーを使っているということは、あまり知られていません。
　本書は活字メディアの記事作成のために、筆者が約2000人に行ったインタビュー・データを言語学や心理学、会話分析などさまざまな角度から観察・分析し、話を引き出すのに成功した質問の仕方をストラテジーとして抽出、体系化したものです。すなわち、これまで明らかにされてこなかった、プロのインタビュアーの話を引き出す方法を提示しています。また、観察・分析の対象としているのは、いわゆる事件やスキャンダルを扱った、相手を糾弾することを目的としたインタビューではなく、相手をポジティブに捉え、その人間性に迫ることで学びを得たり、専門性の高い情報を引き出したりするために行われたものです。このようなインタビューでは、インタビュイーと良好な関係性を構築・維持し、これまでまだ明かしたことのない自分の中にあるものを自主的に話すことを促します。こちらが知りたいことが相手にとっては話したくないことである場合や、ふつうは聞くのが失礼だと思われる質問もありますが、聞き方を工夫することで答えてもらえることは少なくありません。その意味で、コミュニケーションに配慮したインタビューといえます。そのため抽出したストラテジーはコミュニケーションに配慮しつつ「人から話を聞き出す」ことが必要なさまざまな場面で応用が可能です。

インタビューは雑誌などの記事を作成するためだけでなく、さまざまなシーンで行われています。たとえば、大学では質的研究のフィールド調査のひとつとしてインタビューを行うことがあり、心理カウンセリングや医療機関でも、症状について正確な情報を得るため質問を重ねます。日常生活でも初対面の人と親しくなる際には趣味や出身地などを質問することから始まり、もっと距離を縮めたい友人には、より深く知るために深層に迫る質問をするでしょう。ビジネスシーンを見ても、取引先のニーズを探ったり、プレゼンテーションのために事前に情報を聞き出したりするのは必須です。

しかし、このように人に質問をする機会は多々あるにもかかわらず、会話でコミュニケーションをすることに苦手意識をもつ現代人が増えているという指摘があります。

本書は、さまざまなシーンで人間関係をスムーズにするのに必要でありながら、学術的に述べられたことのないプロのインタビューのストラテジーをわかりやすく伝え、実践で使える「質問する力」を身に着けることを目的としています。グループワークでインタビューの記事を作成する際に参考になるようインタビュー記事の作り方やオンライン・インタビューのコツも紹介しています。各章ごとに学んだことを自分でも実践できるよう“WORK”を設けました。また、インタビューの現場であったことなどをコラムとして各章の終わりに入れ、インタビューの奥深さ、楽しさも紹介しています。

会話コミュニケーションでは、自分から質問をすることが不可欠です。会話コミュニケーションが必要とされる場面で本書が役立つことを願っています。

相手の心を開くための14章
インタビュー大全

CONTENTS

実践編 インタビューのストラテジー

番外編 話し方・ふるまい、オンライン・インタビュー、記事作成

第12章 話し方・ふるまいを見直す …… 181

自分を客観的に見直す

第13章 インタビュー記事を書く …… 196

会話を読み手に伝わる文章にする

オンライン・インタビューのコツ ……… 216

画面越しの会話コミュニケーション

Column インタビュー裏話

用語解説

【インタビュアー】

interviewer

インタビューをする人、質問する人。
本書では略してERと表記。

【インタビュイー】

interviewee

インタビューを受ける人、質問される人。
本書では略してEEと表記。

【共話】

日本語会話の特徴のひとつ。ある話題について最初から最後まで一人で話すのではなく、他者と会話を重ねながら話を完結させる。

【ストラテジー】

戦略、戦法、作戦。

インタビュー・ストトラテジー：まだ語られたことのない興味深い話を引き出す戦略。

【スピーチレベル】

会話における丁寧度。

スピーチレベルのダウンシフト：会話における文体の丁寧度を一時的にカジュアルな文体に変更すること。逆に、より丁寧な文体に変更するのはアップシフト。

【共感的理解】

心理療法士や心理カウンセラーなどに必要な態度。論理だけでなく感情を理解し、気持ちを分かち合っていることを示す。

【非言語情報】

表情や身体動作、声のトーンなど言葉以外で伝わる情報。

【中途終了型発話】

最後まで言い切らずに途中で終わる話し方。言いさし文ともいう。

【自己開示】【自己呈示】

自己開示：ありのままの自分についての情報を人に伝えること。

自己呈示：自分の印象をコントロールして人に呈示（アピール）すること。

＊文中の（名前〇〇〇〇）は、その人が0000年に発表した論文・著作によるものであることを表す。巻末の「参考文献」に詳細がある。

理論編

インタビューの基礎知識

第1章

「聞く」プロはどうしているか

インタビュー記事を読むと登場人物（インタビューを受ける人、質問される人＝インタビュイー）の言葉に感銘を受けたり、意外な面を知って驚いたりすることがあるでしょう。それはもちろんインタビュイーに人を引き付ける魅力があるからですが、インタビュアー（質問する人）の「聞き出す力」があってこそ、といっても過言ではありません。というのは、記事に書かれた「意外な一面」は彼らが「隠したくて話さなかった」のかもしれませんが、単に「今まで聞かれなかったから話さなかった」けれど、「今回は聞かれたから話した」かもしれないからです。また、インタビュイー自身が、質問に答えることで「自覚していなかった自分の一面に気づき、語りだした」というケースも少なくありません。優れたインタビュアーは、なぜそのようなことまで聞き出すことができるのでしょう。

インタビューは会話である

知り合いのなかに、話していると「なぜか自分についていろいろ話してしまう」という人はいませんか。理想のインタビュアーは、そのような人です。

インタビューというと、インタビュアーが質問をし、それにインタビュイーが答え、ひととおり話し終わったら次の質問にうつる――というように授業で先生と生徒がするような質疑応答が思い浮かぶかもしれません（実際、テレビやラジオのインタビュー番組でも、そのように見えるものもあります*）。しかし、社会問題やスキャンダルを追求するようなものを除き、ある人物を紹介したり、専門分野について詳しく聞いたりするインタビューは、これから親しくなりたいと思っている初対面の人同士の会話コミュニケーションに似ています。インタビュアーは、リラックスした友好的な雰囲気をつくりながら「まだ知られていないこと」や「本音」を聞き出そうと頭をフル回転させているのです。

一問一答の積み重ねではない

雑誌や新聞などの活字メディアやwebのインタビュー記事で多いのは、インタビュイー（登場人物）のコメントが「　」でくくられ、コメントの補足や状況説明、質問などが地の文で書かれたものです。

* テレビやラジオ、動画等では、音声が聞き取りにくくなるためインタビュイーの発言中にインタビュアーは発話やあいづちを控えます。また、時間の都合でカットされる会話もあります。さらに、インタビュアーの発言も放送されるため聞かれることを意識した発言になる、といった条件の違いから、雑誌などの活字メディアと音声・映像メディアでのインタビューとは違った様相があります。

多くの場合、インタビュアーは登場しません。そして、記事全体がひとつのまとまったストーリーとして読めるようになっています。

では、実際のインタビューも記事のストーリーのとおりに進んでいたのでしょうか。答えはNOです。

【図1_インタビューの会話の構造】

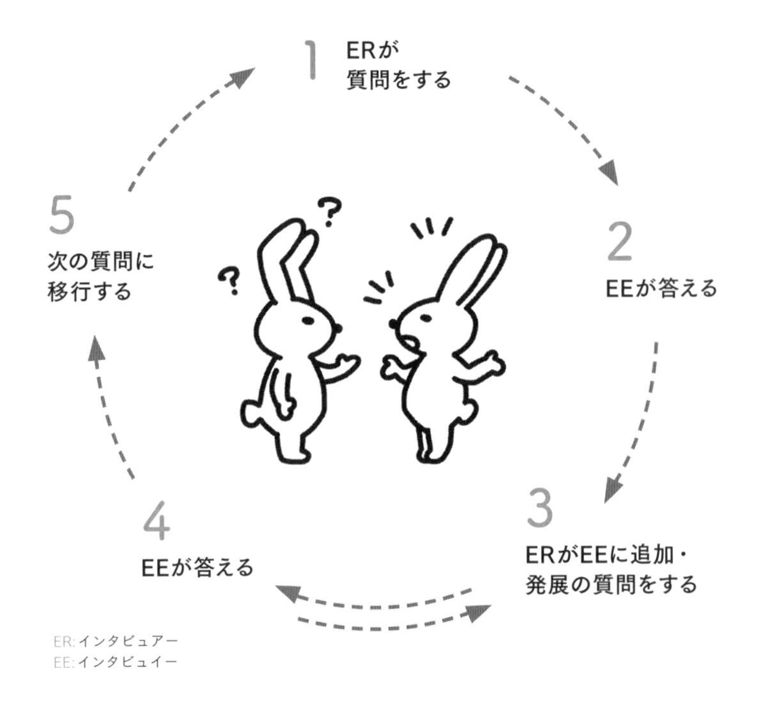

インタビュー中の会話は、図1のような構造になっています。すなわち、①インタビュアーが質問をして②インタビュイーが答えると、③インタビュアーはその答えについてもっと深く知るため追加・発展の質問をします。④それに対して、またインタビュイーが答え、そのあとは⑤次の質問に移行する場合もあれば、③⇄④が繰り返されることもあります。

質問は第2打からが勝負

このような流れを繰り返しながらインタビューは進んでいきます。返ってきた答えを深く掘り下げ、「なぜ」「どのように」などの詳細を聞き、これまで語られることのなかった詳細や新しい事実、本音や意外な一面を引き出していくのです。そして、その中から興味深いエピソードを選んで記事にします。つまり、最初の質問は、ジャブのようなものであり、それをきっかけに、第2、第3の質問を投げ、真相に迫っていきます。むしろ1打目よりも、それに続く質問が重要なのです。たとえば、以下のように会話は進んでいきます。

最近のSNSの影響力についてどう思われますか。

すごく大きな力を持つようになってきていますね。特に若年層にその傾向がみられます。情報源として身近な存在なんじゃないでしょうか。

情報源が身近だと、影響は大きくなるんですか。

そうです、そこが問題なんですよ。知っている人を通して伝わったことは信頼できると思込みやすく、だから、拡散力も大きくなります。

本当に信頼できるのかどうかわからない情報がどんどん拡散されていくことになるんですね。やはり若年層にその傾向は顕著ですか。

若者はSNSと親和性が高いですから。影響力が大きいだけに、学校などで指導が必要だと思います。

ER:インタビュアー
EE:インタビュイー

インタビュアーの最初の質問に対して、「大きな力を持ってきている」「若年層にその傾向は大きい」「身近な情報源である」と回答が得られました。しかし、それで終わらせずに「身近な情報源」であることと「影響力」について質問を重ねると、「問題」が浮かび上がってきました。そこで、3つ目の質問で、その「問題」を繰り返して明確にし、再度「若年層」についてその問題点との関係性を確認しました。すると、それに対する答えとして「若年層」と「SNS」の「親和性」、「影響力」、さらには「指導が必要」なことなど、「SNSの影響力」について思っていることが明かされました。このように、質問を重ねることで言いたいことが明らかになっていくので、最初の質問で終わってしまったら、それらは十分には表に出てこないのです。

記事になるのは一握りの会話

もちろん、掘り下げたところで、それほど面白い話ではないこともあります。また、あとからもっと記事にふさわしい話がでてきて、せっかく聞いても記事にならない話題もあります。なんともったいない、そして、時間も無駄に……しかし、これがインタビューです。

つまり、インタビュアーとインタビュイーのやりとりがそのまま記事になっているわけではないのです。また、話の展開をわかりやすくするために、話の順番はしばしば入れ替わります。

このように記事になった会話の何倍もの質疑応答が交わされています。それらを精査して読者の興味を引き付ける誌面が構成されるのです。

雑談こそネタの宝庫

多くの場合、インタビュアーとインタビュイーは初対面です。まれに初対面の人にでも自分をさらけ出すことができる人はいますが、よほど仲の良い友人以外には本当の自分を見せないという人もいます。にもかかわらずインタビューの記事では、深くプライバシーに踏み込んだり“本音”と思われる内容も書かれていたりします。

人は「理想の自分」を演出する

マスコミによく登場する著名人は、自身についてや自分の思い、考えを不特定多数の人に話す機会があります。ただし、本人が語ったことがすべて本当のその人の実像とは限りません。意識的に、もしくは無意識のうちに視聴者やファンが望むイメージ通りに自分を演出している可能性があります。もちろん、それが悪いことではありませんが、わざわざ新たな記事にするまでもないことばかりだとしたら発言への関心は薄れていくでしょう。皆が知りたいのは、これまで語られたことのない新しい情報や飾らない言葉＝本音です。インタビュイーの素顔や意外な一面が語られたら、がぜん記事に興味が湧き、関心が高まるはずです。

そのようなことをどれだけ引き出せるか。それがインタビュアーの腕の見せどころです。

観察されていることを意識する

雑誌などのインタビューでは、インタビュイーは仕事としてインタビューを受けているのですから、自分について知ってほしいと思っていることに相違はありません。しかし、発言がインタビュアーに観察されていて、あとで原稿になると知っており、さらに読者によく思われたい、などと意識することで、本来の自分とは違う、理想の自分像と置き換えて質問に答える場合があります。著名人に限らず、人は相手を意識することで話す内容を変える傾向があるのです。

さりげない会話に「素顔」が出る

どんなに仲の良い相手に対してでも、時や気分が変われば発言が変わるのはよくあることです。ましてやインタビューで、「素のあなた」を語ってくださいと言ったところで、かなり無理があります。「素の自分」を語ろうと思っていても、インタビューであることを意識しているのですから、親しい友人と話すようにはいかないものです。

しかし、なるべく「素のあなた」に近づき、「本音」をキャッチするのは不可能ではありません。

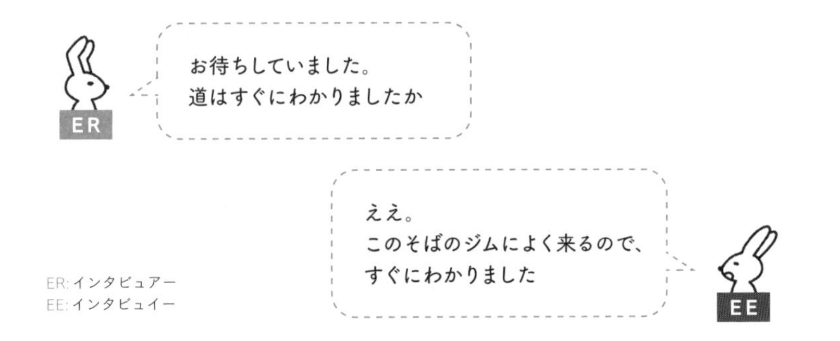

インタビューを行う際は挨拶のあと、「では、今日は〜〜についてお話をうかがいます」とインタビューの趣旨の説明をしてから質問を始めます。しかし、これ以降の質疑応答だけが記事になるわけではありません。記事にしたら面白いネタは、顔を合わせてから別れるところまで、さまざまな場面に潜んでいます。

たとえば、名刺交換をする前、スタジオで顔を合せた際に上のような会話があれば、日常的に運動をしている人であることがわかります。つまり、体を動かすのが好きな活動的な人なのかもしれないし、健康への意識が高いストイックなタイプかもしれません。あるいは、今ダイエットに取り組んでいる!? さらに、そこが会費の高い超高級ジムであれば、そこに通えるほどビジネスが絶好調!?……何気ない一言も、情報の断片として、あとに続くインタビューの本題で役に立つことがあります。

これからインタビューだ、と身構えたときよりも、リラックスモードのときのほうが、人は無防備になり本音が出やすくなるものです。雑談もインタビューのうちと考え、大いに話を弾ませましょう。

どんなふうに話せばいいの？

時事問題やスキャンダルを暴くタイプのインタビューでは、意図的に相手を怒らせ、挑発することにより本音を引き出すといった方法があります。ビジネスシーンでも業績を知りたいときなどに相手を刺激して、その反応を見て正確な情報を得るといった手法があります。

しかし、読者が興味をもっている人を魅力的に紹介するタイプの雑誌のインタビューでは、そのような手法を取ることは、滅多にありません。気持ちよく会話を重ね、まだ知られていない相手のポジティブな情報をより多く引き出すほうが、読者の共感を得られる記事になるからです。日常生活で仲良くなりたい人と距離を縮めるときと似ています。そのためにはどのような質問の仕方をしたらよいのか考えてみましょう。

日本語会話の特徴を知っておく

気の置けない友人との会話とは違い、初対面の人とは話しにくいものです。相手のことがわからないので、何を話題にしたらいいのか、また、質問に答えても自分の意図通りに話が伝わるかどうかわからないので、どこまで本音を言っていいのか判断できません。警戒心が働いて当たり障りのないやり取りになりがちです。このようなときに、より話を弾ませる会話のしかたがあります。話の内容にかかわらず、互いに話がしやすくなります。インタビューの会話でみてみましょう。

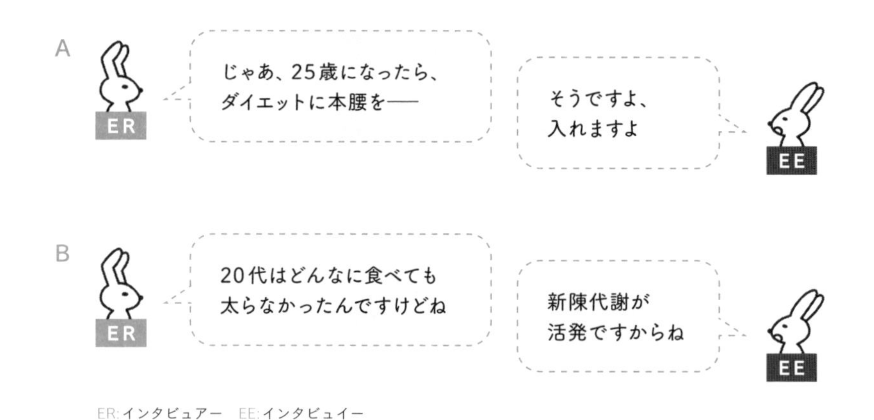

ER:インタビュアー　EE:インタビュイー

A、Bの会話は、どちらも、ふだん親しい人との間で無意識に行っている「共話」（水谷 1983）という日本語会話に特徴的な話の進め方をしています。Aの会話は「25歳になったら、ダイエットに本腰を入れる」という話を、Bの会話は「20代はどんなに食べても新陳代謝が活発だから太らなかった」という話を、インタビュアーとインタビュイーが二人で完成させています。

いっぽうが「話し手」になり、もういっぽうが「聞き手」となる二者間の会話はふつう「対話」と呼ばれますが、日本語では、「聞き手」と「話し手」の役割が明確に分かれている「対話」という形態よりも、互いに相手の話を補足しあって完結する話し方がよく用いられますます。これが「共話」です。

インタビューの理想は自然会話

最初から最後まで一人で話すのではなく、会話を重ねながら話を進める「共話」が成立すれば、インタビュイーは相手が自分の話を受け入れて共感してくれていると感じられて、話がしやすくなります。質問に答えるというよりも友人とするような「自然な会話」に近くなり、本音も出やすくなります。

インタビュイーの話に積極的に関与していく「共話」を意識的に行うことは、初対面でもより効率的に多くの情報や深い話を引き出すのに役立ちます。多くのインタビュアーが用いるテクニックです。

WORK 01

どうする？
どう聞く？

「YouTuberという仕事」というテーマで有名YouTuberにインタビューをすることになったとします。以下の4つの質問を考えました。実際にはどのように聞きますか。友好的な関係性を維持しながら聞くことを意識した質問文に変換してください。

A. YouTuberになったきっかけ
B. 最初にアップしたものは？
C. 再生回数とチャンネル登録者数、どっちが気になる？
D. やめたいと思ったことはあるか
E. どんなときにやりがいを感じるか
F. 大変なのはどんなとき？

インタビュー裏話 ❶

人間力が足りなくて失敗した話

ふつうなら会うことが叶わない著名人に直接会って、1対1で話ができるインタビュアーという仕事をしていて本当によかったと思うことは多々あります。ましてや相手がいつか会ってみたいと思っていた憧れの人の場合には、感激ひとしおです。

アルバムを欠かさず買っていたミュージシャンにインタビューすることになり、いつも以上に緊張して話を聞いたのは一生の思い出です。また、ある大御所の女優さんにインタビューしたら、人を引き付ける話し方とチャーミングな人柄に魅了され、大ファンになってしまいました。あるときは、某人気タレントが編集サイドの者だけでなく、カメラマンやスタイリストなど撮影スタッフはもちろん、彼らのアシスタントやスタジオの若い人にまで声をかけ、その場を明るくあたたかい雰囲気にして盛り上げているのを見て、その場に居合わせた一同、心を完全に持っていかれ、長年にわたり第一線で愛され続ける理由を垣間見たような気がしました。そのようなインタビュイーの人柄を感じさせるコメントに学ぶところも多く、原稿に熱がこもったのは言うまでもありません。

しかし、楽しくてラッキーな仕事ばかりとは限りません。誰にインタビューするかは媒体の企画によって決まるので、時には苦手な人だったり、タイミングが悪くインタビュイーが不機嫌だったりすることもあります。プロのインタビュアーとしては、どんな相手でも、シチュエーションでも、和やかな雰囲気のなかで話を聞き出すように努力するのは当たり前のことですが、一度だけ、インタビュイーが怒って席を立ってしまったことがありました。

そのインタビュイーは著名なシェフで、ある珍しい食材について彼に聞くことになっていました。その食材をどうやって入手し、どのように調理するのか、その料理はどう体によいのか――そんなことを教えてもらう予定でした。ところが、そのシェフは約束の時間に遅れてきたうえ（インタビューの場所に指定されたのは彼の店でした)、話し方がしどろもどろ。なにやらお酒の匂いが……。

その食材について一般的に知られている以上の、専門的な情報が必要で、また、そのシェフならではの料理の仕方や一般的には知られていない効能について詳細を教えてもらうことになっていた、のですが……。

どんな角度から丁寧に質問をしても上の空でのらりくらり。「そうなんじゃない？」「まぁね」など、ほぼ何も話そうとしない相手の態度に、このままでは帰れないと次第に焦ってきた私の質問のしかたは、問い詰めるような口調になっていました。すると、シェフは、「どうしてそんなことを聞くんだ」と捨て台詞を残し、ぷいと席を立ってしまったのです。

「しまった！　やってしまった……」(私)。

インタビューの趣旨を知ったうえでインタビューを受けたのですから、その食材について知識があり、話すのを承知したということです。こちらからは謝礼もします。誌面も押さえてあります。それなのに質問に答えてくれないなんて、約束違反です。

しかし、相手がどんなに非協力的でも怒らせてはいけないのです。その場にいた編集者やカメラマンも呆れ、彼に対して怒っていましたが、インタビュアーはそれでも何かを聞き出さなければならないのです。理不尽だと思っても、なだめたりすかしたり、必要なら機嫌をとるようなことも言い、粘って、粘って、なんとか少しでも情報を引き出すべきなのです。

その後どうなったかというと、後日、編集者の上司が菓子折りを持ってシェフに謝りに行き、記事は資料を元に原稿にし、シェフにチェックしてもらうことでなんとか誌面に穴をあけずに済みました。ちなみに原稿にシェフからの訂正はいっさい入っていませんでした。インタビュー前に想定していた誌面とは違うものになりましたが、仕方がありません。

おそらく、シェフはその食材についてあまり情報を持っておらず、それなのにしつこく質問され、知らないとは言えず機嫌を損ねたものと推測されます。インタビュアーとしては、それを察知し、こちらの情報を提示し、確認を取るという取材スタイルに変更するべきでした。そして、それでも記事にする情報が足りなければ、誌面構成を変更して、別の人にも追加でインタビューをすればよかったのです。

仕事のたびにコミュニケーション能力という「人間力」が試され、鍛えられています。

第2章

「聞く」前にすること

インタビューは授業や講演会のように話し手がいっぽう的に話し、聞き手はただ聞いて「教えてもらう」のではありません。会話を重ねながら聞き出していくものです。会話は単なる情報の交換ではなく、意見を交わしたり気持ちの交流が生じたりします。そのため「この人になら話してもいい」「この人ならわかってくれそうだから、もっと話したい」と思われたほうが、当然、より大きな成果が得られるはずです。そのような会話によって貴重な話を聞き出すにはインタビュー前の「準備」が必要です。

テーマに関連することや人物の情報をインプットする

インタビューをする際には、事前にインタビューのテーマに関する情報を予備知識として集めておくべきなのは言うまでもありません。例えば、「仮想空間における人間関係の構築」というテーマでそのことに詳しい人にインタビューをするとしたら、「仮想空間」の歴史、実情、将来性、課題についてはもちろん、そこではコミュニケーションはどのように行われているのか、また比較対象として「現実の人間関係」について、さらに関連事項として「仮想空間」の開発に力を入れている会社などについても知っておかなければなりません。既に知っていることであってもインタビューの直前に情報を再確認し、アップデートしておくのも必須です。

このように本やネットで集められる知識や情報を前提に、より詳しい、もしくはユニークな見識を持っている人に話を聞くのがインタビューです。もし、0(ゼロ)の状態でインタビューに臨んだら、何も知らない人に理解できるレベルの情報しかインタビュイーは提供できません。反対に100の知識や情報をもって望めば、「そこまで知ってるなら、この話もしよう」となり、「じゃあ、これは知ってる？」と積極的に話してもらうことができ、収穫の多いインタビューになることでしょう。では、そのためには具体的にどうしたらいいのか、述べていきます。

自信をもって向き合うために

インタビュイー自身の経験や考えを聞き出すインタビューの場合はもちろん、あるテーマについて見識を聞くインタビューでも、インタビュイー自身についての情報はなるべく多く仕入れておくのが得策です。

初対面の人と話すときには少なからず緊張するものです。ましてやインタビューならば、聞きたいことをもれなく聞くことができるか心配だし、相手がどのような性格の人か、あるいはいまどんな状況にあるかわからないという不安もあります。事前に触れないほうがよさそうなこと、今は忙しい時期なのかなど、人となりや近況を少しでも把握しておくようにすれば対策が立てやすく、失礼な態度で相手の気分を害するような事態が起こるリスクは軽減できます。何も知らないよりも話が弾む可能性も高くなります。

信頼を得るために

インタビュイーについて事前に情報を集めておくと、自分の緊張の緩和になると同時に、それがインタビュイーとの信頼関係を構築する基盤にもなります。相手が自分に関心のない人、自分を理解するつもりのない人だったら、あまり友好的に話をしようとは思わないでしょう。しかし、「今日のために、あなたについて勉強してきた」ということが伝われば、そのインタビューへの意気込みやインタビュイーへの関心の高さに好印象を持ってもらえるでしょう。「あなたに関心があるから、どうしてもあなたに聞きたい」という気持ちで臨むわけですから、インタビュイーについて可能な限り情報を集めておくのは当然のことです。それは「聞く」ための基本の作法（マナー）です。仕事がとても忙しい時期だということがわかっていれば、「今、〜〜でお忙しい時期ですよね。お時間いただいて恐縮です」など相手の状況を理解していることを伝えるだけでも、その場の雰囲気は違ってくるはずです。

また、本題に入った際に趣味や家族の話が引き合いに出されたり、思いもよらぬ方向に話が展開したりすることもありますが、そのようなときにもインタビュイーについての情報を多く持っているほど、反応しやすくなります。

では、インタビュイーの情報はどのように集めればよいのでしょうか。

ネット、SNS、著書をチェックする

相手が著名人や社会的な活動をオープンにしている人の場合は、かなりの情報を入手することができます。すでに公表されているにもかかわらず、質問するのは時間の無駄になるだけでなく、「インタビューを申し込んでおきながらそんなことも調べていないのか」と思われ、信頼が損なわれます。既知のことを改めてインタビュイーの言葉で語ってもらうのが必要な場合もありますが、インタビューで求められるのは、まだほかで語られていない話です。

著書があれば、読んでおくことは必須です。たくさんあって当日までにすべてを読むことができない場合は、インタビューのテーマに近いものを優先し、読み切れなかったものは、せめて目次、まえがき、あとがきだけでも読んでおきましょう。

また、インタビューまでにテレビやラジオに出演する予定がないかを調べ、あれば必ずチェックし、印象に残ったことをメモしておきます。さらに、インターネットでメディアに取り上げられた記事やブログ、SNSもできるだけさかのぼって見ておきます。インタビューのテーマと直接関係ないと思うような情報でも、なにかの説明に引用される場合もあるのでチェックを怠ってはなりません。

チェックを怠ったため「このことは以前、本（ブログなど）にも書いたんだけど」と前置きされることほど、恥ずかしいことはないと思っておいてください。

周辺情報から推測する

著名ではない人に経験や考えなどを聞くインタビューでも、その人のことを知っておくのは必須です。しかし、メディアやネットを探しても情報があまり集められないこともあります。そのようなときは、周辺情報を集め、得られた数少ない情報を想像力で拡大させます。例えば、出身地やおよその年齢がわかれば、時代背景から現在に繋がる何かが発見できるかもしれません。また、出身地の環境について最近のトピックスなどを頭に入れておけば、何気ない会話で役に立ちます。

もし、大型犬を飼っていたら、散歩のために規則正しい生活をしているのではないか、などと想像しておくと関連した話題になったときに役に立ちます。インタビューのテーマと関係ないと思われる情報の断片でも、会話をスムーズに進める潤滑油の役割を果たすこともあれば、そこから話が広がることもあります。それらの情報は、インタビューの際に持参するノートにメモをしておきましょう。

質問リストを作り、どのように聞くか考える

記事を読んでもインタビュアーがどのような質問をしたのかはわかりにくいのですが、答えはインタビュアーの質問によって引き出されたものにほかなりません。また、どんなに協力的なインタビュイーであっても、「○○について話してください」と言っただけで記事になることを丸ごとすっかり話してくれるわけではありません（それは講演であり、インタビューではありません）。

どのように質問するかは、インタビューの成否を決める重要な作業です。なんとなく「〜〜について聞こう」と思っているだけでは、うまく質問できず、相手が困る場合があります。

質問リストを作ろう

聞きたいことが明確で、インタビュイーが答えやすい質問をするためには、思っているだけでなく、具体的な質問文にし、聞き方や内容をじっくりと練り上げておくことが必要です。そして質問する順番に、リストにしておきます。この作業は、多くのベテランのインタビュアーも行っている作業です。

質問リストは以下のようなステップでつくります。

1. 思いつくままに箇条書きにする

まず、聞きたいことを思いつくままに箇条書きにしたメモを作ります。

気になる単語の羅列でもかまいません。どんな些細なことでも書き出していきましょう。時間があるのに質問が尽きてしまう場合もあるため質問項目は多めに考えておきます。

2. 聞く順番を考える

インタビューには流れがあります。ある話題について質問した後、次にまったく関連性のない質問がくると、インタビュイーは話の整理が追い付かず混乱します。前後で関連性のある質問が続くように質問を重ね、大きく流れが変わる際には、「ここで話は変わりますが」「今度は〜〜についてですが」など、断りを入れるとインタビュイーは次の話題についての心構えができて話しやすくなります。

質問の順番は、どのようなストーリーで原稿を書くか、つまり記事の構成を考えながら決めることもあれば（実際に書くときには、そのストーリー通りになるとは限りませんが）、答えやすそうな質問からスタートし、核心に迫る質問に移行していく場合もあります。また、はじめに核心から入り、その詳細をあとから聞いていく場合もあります。緊張を伴うデリケートなテーマのときは、当たり障りのない聞きやすい質問からスタートして話が盛り上がった勢いで聞きにくいことに切り込む、という戦術をとるケースもあります。質問は、記事に書かれた順番になされたわけではないのです。

3. 引き出すための「話し言葉」にブラッシュアップする

インタビューの準備として質問を箇条書きにしておくことはプロのインタビュアーでも行っています。たとえば、YouTuberにインタビューをするとします。なぜYouTuberになったのかを知りたいと思い、質問リストに「YouTuberになったきっかけ」とメモしたとします。しかし、実際のインタビューでは、メモのとおりに話すわけではありません。

同じ質問でも聞き方には、次のようなバリエーションがあります。

実際に聞くときの話し言葉に変換してみると、同じ内容の質問でもさまざまな言い方があるのがわかります。Aのように単刀直入に聞いたら大雑把な返事が返ってきそうです。Bではインタビュイーの意志を丁寧な表現で聞いています。その時の心情を知りたいという気持ちが伝わります。Cはインタビュー全体の流れを意識した質問です。Dの聞き方なら「憧れの職業」と相手の社会的な位置に触れることでインタビュイーに敬意を払っていることが伝わります。「憧れの職業」という言葉を意識した返事になるかもしれません。

このように聞き方が変わると引き出される答えも変わってくるので、質問の流れやインタビューの構成を念頭においたうえで表現を工夫します。引き出すための「話し言葉」にブラッシュアップした質問リストを作っておきましょう。

敬語を適切に使う

質問の仕方を事前にどんなに念入りに準備しても、その場の雰囲気や話の流れによって計画通りにはいくとは限りません。しかし、実際に話す言葉にして準備しておけば、気を遣い過ぎて過剰に敬語を使ったり、敬語を使わずに失礼な話し方をしたりするといった失敗を防ぐことができます。そして、聞きたいことを正確に伝えることができます。

「聞く」前の確認・準備

インタビュー記事にはインタビュイーの個人情報が含まれます。論文や研究発表等でインタビューの内容を扱う場合も同様です。そのためインタビューの前に確認しておくべきことがあります。また、話の内容を間違いのないように記録するものを準備します。

◆校正チェックの確認、同意書の作成

雑誌やweb記事の場合は事前に原稿のチェックをするかどうかの確認をします。必要な場合は原稿を見せ、訂正を求められた場合は相談に応じます。論文や研究発表の場合には、研究内容、個人情報の取り扱いなどについての説明書や同意書が必要な場合があるので用意します。

◆インタビュアーの必携アイテム

インタビューする際には、話の内容を間違いなく記録するために次の道具を準備します。

①ノートとペン　②ICレコーダーまたはスマホ（録音用）
③カメラ、ビデオまたはスマホ（記録用）

ノートは、事前にインタビュイーについての情報や質問をメモしてあるものです。それを見ながら質問し、インタビュイーの発言をメモするのにも使います。ICレコーダーがあればインタビュー中、メモは不要ではと思うかもしれませんが、話に出てきた人名や地名などの表記をその場で書いて確認したり、話を聞きながら疑問に思ったことや、あとで

もっと詳しく聞いてみようと思ったことをメモしておいたりするのに使います。また、インタビューイーの顔の表情や所作などの非言語情報もメモしておくと記事を書くのに役立ちます。

カメラはインタビューの様子を画像や動画として残したり、インタビューイーが持参した参考品などを撮影したりするのに使う場合があります（人物や私物を撮影する場合には許可を得ることが必要です）。

スムーズに質問に入るために

いよいよインタビューを始める際には以下のことを行いましょう。

① インタビューの趣旨を簡潔に伝える

② 受容と共感の姿勢を示す

インタビューの趣旨は、依頼をするときに伝えてありますが、ここで改めて確認することで、インタビューイーは質問の受け入れ態勢を整えることができます。そのあとでなぜ依頼をしたかの理由も加えます。「ご著書を読んで感銘を受けて」「学会で〜〜の発表を聞いて影響を受けたので、直接伺ってみたいと思って」などインタビューイーを受容し、共感していることを伝えると、相手は話がしやすくなります。

WORK 02

どう考える？
どう話す？

いつか会いたいと思っていた著名人にインタビューすることになりました。インタビューの場所であるスタジオで顔を合わせたときに、どのように挨拶し、インタビューをスタートしますか。インタビューイーを想定し、初対面の挨拶を述べてください。

インタビュー裏話 ❷

大物女優にしてやられた話

女優や歌手、小説家など相手の知名度が上がるほどインタビューをするのは難しくなる？

答えはYESであり、NOでもあります。

私の経験からいうと、大物といわれる著名人ほど腰が低く感じのよい人が多い（もしくは、そう見せるのが巧みなのかもしれません）のではないでしょうか。インタビュイーが誰であれ緊張はしますが、気難しいと言われている人ほど失礼のない態度で臨むと、かえって話が弾んでいい人だったという印象で終わることが多いように思います。

著名人のインタビューで難しいのは、公開されている情報が多くありすぎて新鮮なネタがあまり残っていない場合です。キャリアが長いためインタビューされることに慣れていて、自己表現も巧みです。世間に知られても差し障りのないオープンな情報ならいくらでも語ってくれます。でも、その奥にあるまだ誰も知らない本音を引き出すのは容易ではありません。根掘り葉掘りしてようやく引き出しても、事務所からNGが出て記事にできなくてがっかり、ということも多々あります。そんなハードルを乗り越えて、記事にできる新鮮なネタを引き出すのは、やはり緊張を伴います。

記憶に残るのが女優Hさんです。Hさんはスタジオに登場するや入り口で「おはようございます！」と大きな声で一言。次に、その場にいたスタッフ全員の一人一人に「おはようございます」と声を掛けました。それまでいざ大物を迎えんと緊張感が漂っていたスタジオの雰囲気が一変。パッと明るく和やかになったのは言うまでもありません。インタビューもとても気さくに、何を聞いてもユーモアを交え、心に響く答えが返ってきます。まるで気の合う友だちと話しているようにいろいろな話をしてくれました。オフレコ（ここだけの話、記事に書けない話）もなく、まだ知られていない、とっておきの話もたくさん聞くことができました。

もちろん、Hさんのインタビューは面白い記事になり、編集部での評判もまずまずでした。

しかし……。よくよく考えてみると、そのインタビューはHさんの「いい人パワー」に取り込まれた私が、彼女の思惑にはまった結果の内容でした。きっと、Hさんはこんな記事にしたいというイメージを持っていたのだと思います。Hさんの土俵で行われ、Hさんが勝利したインタビュー……。失敗ではないけれど、彼女のほうが上手（うわて）だったわけです。してやられました。

いつか再びHさんにインタビューする機会があったら、彼女の魅力に自分なりの切り口で踏み込んだ記事にしたいと今でも思っています。

実践編

インタビューのストラテジー

「ストラテジー」（strategy）は、戦略、戦法、作戦といった意味です。本書では、インタビュアーが相手から、まだ語られたことのない興味深い話を聞き出すために用いる戦略をインタビュー・ストラテジーといいます。

第1章でも述べましたが、聞く価値がある話とは、これまで語られたことがある話や「この人なら、確かにこう言うだろう」といった予定調和な話ではありません。求められているのは、意外性を感じさせる話やこれまで語られてこなかったことなど、新鮮味のある話です。さらに、インタビュアーは、インタビュイーが「まだ話していない」ことだけでなく、インタビュイー自身も「聞かれるまで気づいていなかった、心の底にあった思いや考え」を浮かび上がらせ、言葉として発信させることもできます。つまり、インタビュイーの潜在意識にあるものを言葉にして浮き上がらせることさえできるのです。

そのようなインタビューをするためには、良好な関係性を保ちながら自然な会話を重ねることが必須です。

以上をより効率よく達成するために実際にインタビュアーが用いているストラテジーを紹介していきます。

第3章

ストラテジー／1
信頼を獲得する

警戒心を解き、話しやすい雰囲気をつくるには

初対面の人と会話を交わしてみて、「この人とは、あまりわかり合えないかも」と感じたら、警戒心が生じ、適当に話を合わせることにして心理的な距離をとります。でも、それほど印象が悪くない場合には、「少しなら正直に話してもいいかな」と多少は好意的に向き合うことになるでしょう。そして、ときには「この人は話しやすい」「わかり合えるかも」と思い、「もっと話してみたい」と積極的に話したくなることがあります。そういう人とは、初対面にもかかわらず深い話をすることができます。
このように相手によって変わる「話しやすさ」とは、いったいどこからくるのでしょう。

「話しやすさ」の鍵は「信頼」にある

互いの趣味や好み、境遇や生活環境などに共通している部分がある人とは、そうでない人よりも話しやすいものです。しかし、そういった共通項を認識していない段階でも、あるいは、共通項がない相手でも、「この人は話しやすい」と感じることがあります。

そのような人の話し方を観察すると、こちらの話をいきなり否定したり、自分のことばかりを話したりせず、また、話した内容を曲解せずに意図どおりに受け止め、そのうえで真摯に共感したり、意見や感想を言ったりしていることがわかります。

優秀なインタビュアーも、そのような態度で会話をすることにより、警戒心を「安心して話せる」という「信頼」に変えています。「信頼」については第2章でも触れましたが、もう少し詳しく述べます。ここでいう「信頼」とは、「自分が話すことを正確に理解し、受け止めてくれるだろう」という判断で、それを獲得する発話が、インタビューのストラテジー（戦略）です。その発話がどういったものかを具体的にみていきます。なお、インタビュアーの服装、態度といった非言語情報も信頼や話しやすさに無関係ではありませんが、ここでは言語情報に限定します。

「信頼」されるための発言とは

会話が始まったら早いうちに信頼を得るほど、その先の会話が充実したものになります。実際のインタビューでは、初対面の挨拶のときから信頼を獲得するために、「褒め・気づき」と「既得情報の提示」、そして、ある程度会話が進んでからは「相手分析」が、ストラテジーとして多く用いられています。

それぞれの発言がどのようなものか詳しくみていきます。

褒め・気づき

インタビュアーはインタビューを始める前に、相手の印象や仕事などを褒めたり、ポジティブな気付きを伝えたりしています。

【褒め・気づき 発言例】

新曲、すごく好きです。
繰り返し聴いています

本を全部読んでいます。
いつかお会いできたらと
思っていました

駅から歩いてきたんですが、
緑が多くてとても良い環境ですね

このように、以前から思っていたことや会ったときに気づいたポジティブな印象、「インタビューを引き受けてもらって嬉しい」という気持ちなどを言葉にして伝えます。本人だけでなく、訪問した場合には住む環境や住まい（インテリア、雰囲気など）などについての気づきを伝えることもあります。

「褒め」ポイントは必ずある

「褒め」は、お世辞を言ったり媚びたりするのとは違います。相手について気づいたポジティブなポイントを素直に言葉にすることです。褒められたら、たとえお世辞だと思っても悪い気がしないものですが、言い方によっては気を悪くする人もいますし、おべんちゃらを言う人とみなされて誠実さを疑われることもあります。褒めるところが思い浮かばないのに適当に言ったとしたら、それは嘘でお世辞や単なる媚になりますから、無理してまで言う必要はありません。

しかし、その人から話を聞きたいと思ったのは、その人自身に魅力を感じ、その人が持っている知識や情報に価値を認め、尊重しているからです。それならばこれから話をしてもらう相手を称賛するポイントやポジティブな気付きは少なからずあるはずです。インタビュアーがそのような思いを持ってこの場に臨んでいることが相手に伝わったら、相手は話がしやすくなるでしょう。「そんなに関心を持ってくれているなら、もっと話そう」と思ってもらえる可能性がより高くなります。

心の中で思っているだけでは伝わりません。言葉で表現することで相手の警戒を緩め、信頼につながっていきます。

「褒め」は「共感」のサインでもある

「褒め」というとドラマで上役に媚を売る卑屈な人や、カメラマンがタレントの撮影シーンで「いいよ、いいよ」「かわいいね〜」などと言いながらシャッターを押すシーンが思い浮かぶかもしれません。実際の撮影でも、被写体の緊張を解きほぐし、魅力的な表情や笑顔を引き出すために、カメラマンが言っているのを耳にすることはあります。

しかし、インタビューにおける「褒め」は、相手を心地よくするためではなく、相手から「信頼」を得るためにポジティブな気づきを伝えるストラテジーです。

さらに、「褒め」は「共感」を表明するストラテジーとしても活用されます。

共感力を鍛える

友達同士なら、「髪型変えたの？　いい感じだね！」と、自然に言うことができますが、緊張感を伴う場で、しかも、初対面の人に対しては、そう簡単ではありません。「媚びていると思われないか」「わざとらしくないか」という不安や面と向かって褒めることへの照れもあります。

では、どうしたら自然に、「褒め」を言えるようになるのでしょう。人はやり慣れないことを急にやれと言われてもできないし、やったところでぎこちなさが生じます。つまり、ふだんの行いが肝心なのです。

人の“あら”を探すのは簡単だけど

相手をぼんやり見ているだけでは「褒め」のポイントは見つかりません。また、「服がシワだらけ」「髪がボサボサ」など、ネガティブなポイントはわかるけれど、「褒める」ところが見つからない、ということもあります。ネガティブなポイントのほうが目につきやすいからです。このことからもわかるように、「褒める」という行為は関心がある人をよく観察し(受け入れ)、尊重する（共感）からできるのです。良いと思わないのに、嘘をついて褒めることではありません。

人のあら探しをしたり、悪口を言ったりするのが得意な人がいます。そういう人は、何についてもよいところを探すことが苦手です。要は、日頃から物事を見る目線がポジティブな人のほうが、人のよいところ＝「褒め」ポイントに気づきやすいといえます。

言葉のやり取りであるインタビューは、相手の話に興味をもって「よく聞く」ことによって、その答えの中から次の質問が浮かび、会話が奥深いものになっていくのです。

人をポジティブにみることを習慣にする

人への関心の持ち方も同様で、ネガティブな面ばかり探すと、相手を否定する気持ちが強くなり、友好的な関係性を維持するのが難しくなります。当然、会話による発見や感動も生まれにくくなります。反対に、「共感」できそうなポイントを探しながら会話をしていれば、相手への関心が高まり、関係性が深まっていきます。日頃から自分の興味の範囲を広げ、どんな人に対しても好奇心をもつことを心がけましょう。共感力が鍛えられ、人と良好な関係性を築きやすくなります。

しかし、「褒め」のポイントを見つけることができても、日頃そのような言動をしていないと実際に言葉にするのは難しいものです。友人らとの会話で、相手の良いところを見つけ、思ったことを率直に言葉にして伝えることに慣れておきましょう。人間関係もよりよくなり、一石二鳥です。

思ったことを言語化し、相手に誤解なく伝える能力は、コミュニケーション能力のひとつです。この力を向上させることは、インタビューだけでなく、人間関係をスムーズにし、人生を豊かにすることに繋がります。ただし批判的な目線で真実を追求するジャーナリズムのインタビューでは、異なるアプローチになります。

既得情報の提示

インタビューを始める前に、相手について既に知っていること＝既得情報をタイミングよく伝えると話がスムーズに進みます。例えば、以下のように知っている情報を提示し、質問につなげます。

【既得情報の提示 発言例】

（朝、スタジオにて）
サンドイッチがありますが、
朝は召し上がらないんですよね。
1日2食なんですか

10年前TVの「〇〇〇〇」に
出演されていましたよね。
すごく記憶に残っています。
今は舞台の方に力を？

SNSでジョギングをされているのを
拝見しましたが、
スポーツはお好きなんですか

このように既得情報を提示すると、「自分のことを理解している」「自分に関心があって調べたんだ」ということが伝わり、好意的に受け取られます。また、既に知っている情報を前提として質問をすると、インタビュイーは説明を省くことができるため答えやすくなります。あまり知られていないエピソードや昔の出来事を知っていると伝えれば、さらに信頼が高まるはずです。

逆に、事前の準備が不十分だったため、公になっているのを知らずに質問すると、「え、前にも言ってるけど知らないんだ？　本当に自分の話が聞きたいのかな」と思われてしまいます。熱意が感じられず、不信感を招きかねません。

相手分析

既得情報やインタビュー中の発言からインタビュイーの考え方や行動を分析し、それを伝えるのも信頼を獲得するストラテジーとなります。

【相手分析の発言例】

もしかしたら、○○さん、
なんでもすごく
深く考えるタイプですか

それは、
ご自分らしくないと
思われたからですか

指摘のとおりであればインタビュイーは「自分のことをわかってくれている」と判断し、「この人になら込み入った話をしても、誤解せずに理解してくれるだろう」と安心して話を続けてくれる可能性が高くなります。まんがいち指摘が違っていたとしても、相手を否定的に評価する内容でなければ、理解しようとしている意思や丁寧に話を聞いていることは伝わるので、気分を害される恐れはないでしょう。

相手分析をするには、相手についてよく知っておく必要があります。現代は、なんらかのSNSを使っている人は多く、個人の情報を得やすくなっています。インターネットで検索するのはもちろん、SNSは必ずチェックし、可能な限り情報を集めておくことは必須です。これは質疑応答をスムーズにするだけでなく、インタビューに際しての初歩的なマナーです。「あなたについて知っている」と伝えるのは「あなたの話を受け入れる準備ができている」というアピールであり、それが相手にとってはインタビューの大前提である「話しても大丈夫という安心感」につながります。

信じていることを積極的にアピールする

インタビュイーはインタビュアーを信頼し、自分のことを話しますが、インタビュアーもインタビュイーを信じて話を聞きます。もちろん、疑問に思うところがあれば確認しますが、発言を信じたうえで共感を示し、より深い話を引き出していきます。日常の会話コミュニケーションでも、相手の話を聞いてすぐに否定し、疑問を投げかける人がいますが、おそらくそういう人とはじっくり話そうとは思わないでしょう。事件や政治に関するインタビューやスキャンダルを追いかける記者なら話は別ですが、そうでないならば、相手との信頼関係のうえでインタビューは成立しています。

「私もあなたを信じている」という態度で相手に向き合うと、興味深い話のときには目を見開いたり、身を乗り出したり、ときには驚いてのけぞったり、といった話を聞く態度に現れます。「そうなんですか」といった簡単なあいづちにも「もっと聞きたい」という気持ちがこもるはずです。そのように「信頼」していることを伝えるのは、インタビュアーの大切な「聞く態度」です。

あいづちや視線などの言葉以外で伝わる情報＝非言語情報は、思っている以上にしっかりと相手に伝わり、その後に続く発言に影響を与えます。インタビューでは、言葉だけでなく非言語情報も大きな役割を果たします。

聞き方ひとつで相手の気持ちは変わる

同じことでも言い方が違うと伝わり方が変わり、相手からの反応が変わる、ということを私達は経験的に知っています。以下のＡさん、Ｂさんの話し方でみてみましょう。あなたならどう感じますか。

Ａさんのような話し方をされたら、自分は今の室温でちょうどいいと感じていた場合、「え、自分は開けないほうがいいのに。勝手だなあ」と思うのではないでしょうか。いっぽう、Ｂさんのような言い方だったら、「自分はちょうどいいけど、Ｂさんが暑いと思っているなら、開けてもいいかな」と思うでしょう。

つまり、Ｂさんのように、「○○さん、暑くないですか」と相手と気持ちを共有する思いのある発言をすることで「自分に配慮している」という気持ちが伝われば、「窓を開けたい」という要望を受け入れやすくなるのです。

得られる情報量に格段の差がつく

インタビューにおいても、単純に聞きたいことを聞くのではなく、相手と気持ちを共有しながら聞くことで引き出される情報は変わってきます。前者と後者で相手の答えがどのように変わるか、「どんなダイエットをしているか」を聞くインタビューで、比べてみましょう。

Ａさんは聞きたいことだけを質問しており、Ｂさんは気持ちの共有をしながら質問をしています。

＼ Aさんの聞き方 ／

Q 体型のことを気にしていますか。

はい。

Q では、太らないように
ダイエットをしてるんですか。

ええ、一応。

Q どんな方法ですか

やっぱり食事と運動ですかね。

＼ Bさんの聞き方 ／

Q ずっとスラリとした印象で。

いえいえ、
10代の頃とは違います。
けっこう体重、増えちゃって。

Q え、そんなふうに見えませんが。

いやいや、お腹周りなんか、
ほんと、苦労してるんですよ。

Q それは意外です。
いつも溌剌とされているなぁって。
大人になると体型を維持するのって難しくなってきますよね。
何か気をつけてらっしゃるんですか？

お腹って一度、脂肪がつくと落ちにくいんですよ。
だから、なるべく炭水化物は控えめにして、食べ過ぎたなと思ったときは有酸素運動です。

Aさんも Bさんも相手がダイエットをしていること、および、その方法について聞くことができましたが、Bさんは、Aさんが得られなかった「10代と今では、体型が変わった」「お腹周りが気になっている」「ダイエットに関してある程度知識をもっている（お腹の脂肪は落ちにくい、ということを知っていることから）」、「食事では炭水化物を控えめにしている、運動では有酸素運動をする」といった情報も得ることができました。

このようにインタビュイーがより多くの情報を提供した理由は、インタビュアーの聞き方（質問の仕方）にあることは明らかです。Bさんのの会話をみると、次のような流れになっています。

最初から質問するのではなく、
印象（肯定感）を伝える

謙遜しながら、自分の現状を語る

⇓

インタビュイーの発言に反論する

どう変化したか具体的に
（お腹周りについて）語る

⇓

変わらないように見えることに関心を示し、
理由を訪ねる

体型維持のための知識を披露しつつ、
実践していることを具体的に語る

ER: インタビュアー
EE: インタビュイー

ストレートに聞かずに会話を重ねる

以上のように、相手の気分を害するかも知れないデリケートなテーマについて、ストレートに質問を投げかけるのではなく、インタビューイーについて肯定的な発言をし、それに対してインタビューイーが実情を伝えようと言葉を尽くす、すなわち気持ちを共有する会話によって、多くの情報を獲得することになりました。

「食事と運動に注意してダイエットを心がけている」という結論は同じですが、Bさんは結論に至るまでに、さまざまな情報を獲得しています。また、Aさんは「はい」「いいえ」で答えが完結する質問が多いのに対し、Bさんは「会話」を重ねることで結論に近づいています。そのためインタビューイーの個性を感じさせるいきいきとした表現が引き出されています。記事に反映させれば、説得力のある興味深い内容になります。

このような会話は日常のコミュニケーションで行うと親近感が生まれやすく、互いの距離を近くするのに役立ちます。

肯定感のある質問で親近感を

自分が話したことはすべて、その伝わり方によって相手の心になんらかの印象を残します。相手によい印象を与え、話しやすい雰囲気を作ったほうが会話は弾み、必然的に多くの情報を聞き出せる可能性は高くなります。こちらが話すことを頭ごなしに否定したり、否定しないまでも同意もせず、別の話題に移ったりする人がいたら、じっくり話そうという気にはなりません。

つまり、インタビュアーはインタビュイーの以下のような気持ちに応えるような質問の仕方をするのが有効といえます。

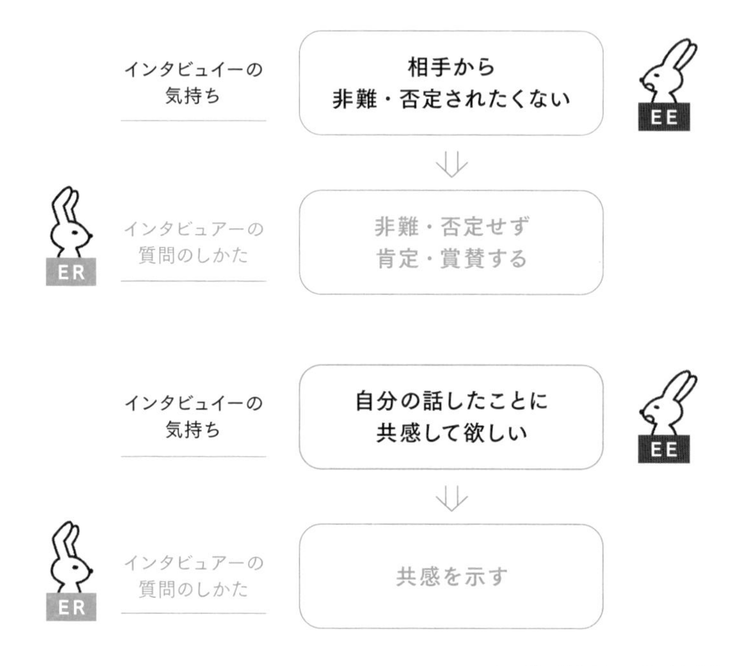

ER:インタビュアー　EE:インタビュイー

非難・否定せず、共感を示す態度で質問をすることで親近感が生じ、不愉快な気持ちになることがなく、良好な関係を維持しながら会話ができる可能性が高くなります。

Bさんの発言は、相手が不快に思うような表現を排除するように工夫されていることがわかります。

このような話し方は、相手にお世辞やおべっかを言うということではありません。前にも述べましたが、日頃から人や物事のポジティブな面を見つけることを習慣にしておくことで、自然と伝えることができるようになります。これはインタビューや会話コミュニケーションだけでなく、日常を、より学びの多い、豊かなものにすることに通じます。

どうする？
どう聞く？

次のことを質問するときには、どのような聞きかたをしたら、
答えてもらえると思いますか。表現を工夫してください。

① 今の収入　② 以前の仕事をやめた理由

WORK 04

どう考える？
どう話す？

隣にいる人を、2分間、できる限りたくさん、褒め続けてください。
初対面なら見た目や印象を、知り合いなら性格や過去の出来事に
ついてでもかまいません。2分たったら、今度は褒められた人が
褒める側になります。

〈例〉・そのシャツ、すごく似合っていますよね。
・服のセンスがいい！
・姿勢がよくて羨ましいな。
・爽やかな印象で、性格よさそう（笑）。
・この前、すごく優しい人なんだなって思ったよ。

人をポジティブに観察し、それを言葉にして発信する練習です。いつも人を肯定的にみることが習慣になると、「褒め」の言葉もわざとらしくなく、自然に言えるようになります。また、話し方も意識してみましょう。自ずと笑いながら言ったり、独り言のように言ったりするなど、照れやわざとらしさを回避するために、無意識に言い方を工夫しているのではないでしょうか。

褒められたときは、どんなふうに感じましたか。褒められ方によって、嬉しかったり、あるいは、素直に受け止められなかったりしませんでしたか。どんな言い方のときに、そう感じましたか。また、上手に褒められたと感じたときは、相手が自分の味方のように思えたのではないでしょうか。腹を割って話してもいいと思えるのは、そのような相手です。

インタビュー裏話 ③

褒めたら、なぜか怒られたインタビュアー

ある日、友人の同業者（雑誌のインタビュアー）が編集部に帰ってくるなり、憤慨しながら話し出しました。

「相手が突然、怒り出したの。『思ってもいないくせに。ろくに話も聞かずになんでも口先だけで機嫌を取るようなことを言うな。インタビューじゃなくてご機嫌取りに来たのか』って」

彼女が言うには、伺ったお宅のことや最近の仕事について、感想を伝えただけだ、と言うのですが──。

人ごとながら、その場の凍りついた空気を想像して心臓が縮み上がる思いがしました。おそらく気難しいインタビュイーだったのでしょう。しかし、彼女とのふだんの会話を振り返ってみると、そんなふうにとらえる人もいるかも、と少し納得してしまいました。思い当たるふしがないでもないのです。

いったいどのような褒め方をしたのでしょう。彼女と会話をしていて気づいた点と問題点を挙げてみました。

①褒め方が大袈裟である

本人がたいそう自慢げに話していれば別だが、本人が大したことではないと認識していることに対しても、リアクションが大きい。本当にそう思っているのかと疑いたくなる。相手の話を聞いて思った素直な感情を表現すべき。

②なんでもかんでも褒める

なんでもかんでも絶賛するので嘘くさく聞こえる。称賛の言葉を伝えるだけでなく、「ええ、そうなんですか！」「わぁ」といった感嘆詞やあいづちで控えめに表現するほうが、自然に気持ちが伝わることもある。

③間髪を入れず称賛する

相手の話に深く感動したときは、心の中で受け止める時間があって、それを消化してから、感想なり褒める言葉が出るもの。話を聞いて瞬時に反応するので、まるで最初から褒めようと思って聞いているかのように見えてしまう。会話には「間」も重要。

仲良くなりたいと思うあまりに警戒されるレベルで共感したり、褒めたりすることは却って不信感を招きます。最初から「褒め」がありきではなく、話の内容をきちんと理解することが第一です。そのあとに聞いたことに対する反応が言葉となって出るものです。

いくら「褒め」がコミュニケーションを円滑にするストラテジーであっても、気持ちの伴わない反応はすべきではありません。

第4章

ストラテジー／2

スピーチレベルの「ダウンシフト」

話し方で心の距離を調整する

緊張感のある場では、相手に失礼のないようにと、敬語を使って話しますが、丁寧すぎる話し方をしていると、「腹を割った」話が出にくくなることもあります。ときにはインタビュアーが敬語を忘れ、タメ口を使ってしまうことがありますが、それは話に夢中になっている証拠として相手に伝わり、失礼に思われることは、ほぼありません。むしろ、互いの心理的な距離が縮まり、会話が盛り上がるでしょう。思いがけないエピソードを打ち明けてもらえることにつながる可能性もあります。

スピーチレベルの「ダウンシフト」は、カジュアルな話し方をすることで相手との心理的な距離を縮め、本音を語ってもらうストラテジーのひとつです。

あえて「タメロ」で話す

人は話す相手や場の状況に合わせて、話し方を変え、互いの距離を調整しています。たとえば、目上の人や初対面の人には敬語を使って心理的な距離を置き、馴れ馴れしい印象になることを回避します。反対に友人や家族には「タメロ」で親密さを共有します。仲の良い友人と「ですます調」で話すと、よそよそしさが出て気軽に話す雰囲気ではなくなります。親しい間柄でも謝罪や頼み事をする際にはあえて丁寧な言い方をして距離をとり、改まった印象を演出することもあります。

また、さほど親しくない人と話していて、それまで丁寧語で話していたのに、ふと「タメロ」になったときに、一気に互いの距離が近くなったように感じることがあります。

「話し方の丁寧さの度合い」は心理的な距離と関係があるのです。

敬語と「タメロ」を絶妙に使い分ける

「スピーチレベル」とは、会話における丁寧度をさし、丁寧な言い方から一時的にカジュアルな言い方に変更することを「ダウンシフト」、より丁寧な話し方になることを「アップシフト」といいます。

インタビュアーが「スピーチレベル」を「ダウンシフト」して、素の自分を出したり、素直な感動を伝えたりすることで、互いの距離を縮めることがあります。会話1はその例です。

【会話1】

休日はどのように過ごされるんですか。

どんなに体が疲れていても朝5時半に起きます。

え、お休みなのに？

そう。軽くストレッチをしてからウォーキングに出掛けて、帰ってきたら家中を掃除します。
終わったら、旬の野菜や果物を使った朝食を作って、たくさん食べて。それから平日にできなくてストレスになっていることを一気に全部やっちゃう。
そうすると、すっごくリフレッシュできるんです。

すごい！　確かに気持ちよさそう。

でしょう!?　本当に気持ちいいんですよ。
体を休ませようとダラダラ過ごすより、忙しくてできなかったことを実行するほうが元気になるの。で、翌日、気分よく仕事に出掛けられる。

ER: インタビュアー　EE: インタビュイー

インタビュアーは「休日にもかかわらず、朝は5時半に起きる」という習慣に驚き、思わず「え、お休みなのに？」と疑問を投げかけました。丁寧に言うならば「お休みなのに早起きされるんですか」などと言うところですが、「え、お休みなのに？」と言うことで、驚きや疑問、その理由を知りたい、という気持ちがストレートに表現されます。その反応は、インタビュイーが期待していたもので、しっかり説明しようという気持ちになります。

「すごい！　確かに気持ちよさそう」というカジュアルな発言もインタビュイーの話した内容に心を動かされて発せられたものであることがわかります。自分の話したことに共感を得られたと確信したインタビュイーは、さらなる情報提供をしました。

気持ちを表現し、距離を縮める

スピーチレベルのダウンシフトは、感情を伴った発言の際に多く出現します。思わず出た言葉は、相手の話を聞いて心が動いたからであり、その反応は話し手にとって、先を続ける自信となります。その結果として、より多くの情報を提供することになるのです。気持ちが共有できた、すなわち心理的な距離が縮まったともいえます。

とはいえ、感情を表現する際のスピーチレベルのダウンシフトが互いの距離を縮めると言っても、どんな表現も有効であるとは限りません。「えー、うそ！」「マジに？」など、度を越した馴れ馴れしさはふさわしくありません。

丁寧過ぎると親密さが生まれない

スピーチレベルのダウンシフトをせず、丁寧に話すことで互いの距離が広がり、好ましくない印象になってしまうことがあります。丁寧すぎることが慇懃無礼やよそよそしさを感じさせてしまうのです。特に相手に共感したり、褒めたりするときには要注意です。どういうことなのか会話２、３をみてみます。

【会話2】

編集者：今日はスーツなんですね。カッコいい。

インタビュアー：スーツ、多いんですか。

インタビュイー（女優）：いえ、たまたまこの後、講演の仕事があって。

編集者：そうなんですか。カッコいい。

ヘアメイク：似合うー。

インタビュアー：ね、すてき。

インタビュイー（女優）：いやあ、そうですか。じゃ、毎日着ちゃおうかな。

会話２、会話３は、インタビュイー（女優）がスタジオに到着し、挨拶を終えた直後、インタビュアー、編集者、ヘアメイクアーティスト（ヘアメイク）と交わした会話です。スピーチレベルをダウンシフトした会話２と、ダウンシフトしない会話３を比べてみましょう。

会話２では、「かっこいい」「すてき」という「褒め」を「タメ口」のように言っています。会話３は、同様のことを、敬語を使っています。

【会話3】

編集者：今日はスーツでいらっしゃるんですね。
インタビュアー：スーツを着られること、多いんですか。
インタビュイー（女優）：いえ、たまたまこの後、講演の仕事があって。
編集者：そうなんですか。カッコいいですね。
ヘアメイク：似合っていらっしゃいます。
インタビュアー：すてきです
インタビュイー（女優）：そうですか。ありがとうございます。

敬語を使った会話3は、とても上品な印象の会話ですが、どこかよそよそしさが感じられませんか。結果として、いたってありきたりな反応が返ってくることが予想されます。会話2のように、「いやあ、そうですか。じゃ、毎日着ちゃおうかな」といったユニークな反応は望めないでしょう。

理想は適度な馴れ馴れしさ

「タメ口」はなぜ、有効なストラテジーとなるのでしょう。

丁寧に話すのは、馴れ馴れしく思われることを回避するためのストラテジーです。ダウンシフトしない会話3では、近づきたいという欲求であるストラテジーの「褒め」に、近づき過ぎることを回避するするストラテジーを重ねています。すると、回りくどさが生じ、結果として親密さは薄れます。

このような表現は互いの距離を縮め、親密な関係性を目指すシチュエーションにおいて、気恥ずかしさや慇懃無礼、よそよそしさを感じさせます。逆にタメ口を用いることで、「適度な馴れ馴れしさ」、すなわち「程よい距離感」が印象付けられます。ダウンシフトしたほうが打ち解けた雰囲気になり会話も弾み、話を引き出しやすくなるでしょう。

独り言のように言う

もちろん、「馴れ馴れしさ」は相手の気分を害することもあります。しかし、会話2では、「すてき」「かっこいい」など相手の発言に対する自分の感情を独り言のように言っているため、その失敗も起こりにくくなっています。

「褒め」+
スピーチレベルの「ダウンシフト」

ある人物にフォーカスし、その魅力を読者に紹介する趣旨のインタビューで、相手が著名人の場合、インタビュアーはまだ語られたことのない人物像やとっておきのエピソードを引き出そうと手を尽くします。「褒め」は、そのようなインタビューのストラテジーのひとつとして、よく用いられます。

しかし、「褒め」は、お世辞や媚びているように受け取られかねません。言うほうも本当に思っているから言葉にして伝えるのだと思いつつ、どこか気恥ずかしさを感じていることもあります。

オーバー気味の褒めを失敗せずに伝える方法

もちろん、「褒め」を行う際に、必ずしもスピーチレベルをダウンシフトして話すことが必要なわけではありません。特に必要なのは、少し表現がオーバーだと受け取られそうな「褒め」の場合です。

次ページの会話4は「褒め」+スピーチレベルの「ダウンシフト」を行わなかったために、わざとらしさが生じた例です。

女性誌の「美白ケア」をテーマにしたインタビューで、インタビュイーは、日やけしており、シミも多くあるアスリートです。そのような相手に、肌を白くするためのスキンケアについて聞くのは、かなり失礼です。そこで、インタビュアーは日やけのダメージがある現状を肯定し、魅力的であると賞賛したうえで「太陽が似合う」とスピーチレベルをダ

【会話4】

○○(EE)さん、太陽が似合うイメージ。

子供の頃から、ずっと日やけし続けてるんです。

世間では美白ケアが流行っていますけど、魅力的ですよね。アウトドアスポーツの女神みたいな。美白のことは忘れてよいのではないでしょうか。やっぱり、それでも気にされてるんですか。失礼な聞き方ですけど。

ER: インタビュアー
EE: インタビュイー

そうですね、一応。
気休めですけど日やけ止めを塗ってます。

ウンシフトして表現し、さらに「アウトドアの女神みたいな」と冗談めかして「褒め」を行いました。しかし、そのあとに「美白のことは忘れてよいのではないでしょうか」「やっぱり、それでも気にされるんですか」と丁寧な口調で続け、さらに、追い打ちをかけるように、「失礼な聞き方ですけれど」と敬意を払う言い方をしたのが決定的となり、インタビュイーとの距離が生じてしまいました。その結果、「そうですね。一応。気休めですけど日やけ止めを塗ってます」という当たり障りのない回答しか引き出せなかったのです。

大胆にダウンシフトする

インタビュアーの発話のスピーチレベルのシフトチェンジによる距離感を時系列でみると、次のようになります。①③の「褒め」はスピーチレベルをダウンシフトして距離を縮めようとしていますが、後に続く発言はアップシフトして距離を遠ざけています。スピーチレベルをアップシフトしなければ、より興味深い回答が得られた可能性があります。

会話５はアップシフトしなかった場合です。

【会話４のスピーチレベルのシフトチェンジと距離感】

① ○○(EE)さん、太陽が似合うイメージ。 ⟸ ダウンシフト 近

② 世間では美白ケアが流行っていますけど、魅力的ですよね。 ⟹ アップシフト 遠

③ アウトドアスポーツの女神みたいな。 ⟸ ダウンシフト 近

④ 美白のことは忘れてよいのではないでしょうか。 ⟹ アップシフト 遠

⑤ やっぱり、それでも気にされてるんですか。 ⟹ アップシフト 遠

⑥ 失礼な聞き方ですけど。 ⟹ アップシフト 遠

【 会話５ 】

○○(EE)さん、太陽が似合うイメージ。

子供の頃から、ずっと日やけし続けてるんです。

世間では美白ケアが流行っていますけど、かっこいい！
アウトドアスポーツの女神みたいな。もうこの際、美白のことなんか、忘れちゃっていいんじゃないですか。

いやいや、そうもいかないですよ。
年取ってからシミだらけになっちゃいますから。
気休めですけど日やけ止めを塗ってるんですよ。

ER: インタビュアー
EE: インタビュイー

会話５のスピーチレベルのシフトチェンジは以下のようになっています。

【会話５のスピーチレベルのシフトチェンジと距離感】

① ○○（EE）さん、太陽が似合うイメージ。	⟸ ダウンシフト	近
② 世間では美白ケアが流行っていますけど、かっこいい！	⟸ ダウンシフト	近
③ アウトドアスポーツの女神みたいな。	⟸ ダウンシフト	近
④ もうこの際、美白のことなんか忘れちゃっていいんじゃないですか。	⟸ ダウンシフト	近

まず、「魅力的ですよね」をカジュアルに「かっこいい！」に変えます。カジュアルな表現を用いることでわざとらしさがなくなり、また、スピーチレベルをダウンシフトして独り言のように言うことにより、言葉に真実味が出ます。また、「美白のことは忘れて」「やっぱり、それでも気にされてるんですか」「失礼な聞き方ですけど」といった相手に配慮した発言は心理的な距離を遠ざけるので省略し、さらに「もうこの際、美白のことなんか、忘れちゃっていいんじゃないですか」と軽い口調で続けます。その結果、「アウトドアスポーツの女神」という言葉があっても、一連の流れが冗談めかした印象になります。

会話５のように聞けば、インタビュイーの美白ケアに対する考え方を引き出せたでしょう。

インタビュイーに気を使いすぎて、スピーチレベルのダウンシフトをしないと、このように聞きにくいことを「褒め」を使って冗談めかして言おうしても成果が得られず、記事にしたい回答が得られないことがあるのです。

「スピーチレベルのダウンシフト」はインタビューに限らず、日常のコミュニケーションでも、よそよそしさを回避したり、互いの距離を縮めたりするのに有効なストラテジーです。意識的に使うと相手との距離感が変わり、会話を盛り上げるのに役立ちます。

WORK 05

どうする？
どう聞く？

初対面で何をどのように話しますか。

インタビュイーに初めて会ったときの挨拶を含めて、どのように話しますか。「褒め」と「スピーチレベルのダウンシフト」を使い、以下の状況を想定して実際の会話をシミュレーションしてください。

① インタビュイーが出演する映画が好評を博している。
（自分も見た。感動したことを伝えたい）

② インタビュイーが、最近メディアで話した内容が世間で話題になっている。（自分も共感したことを伝えたい）

③ インタビュイーのその日の服装が、とてもおしゃれだった。
（いつもセンスがいいと思っていたことも伝えたい）

インタビュー裏話 ❹

「知ったかぶりはダメだよ」

初対面の相手と本音で向き合うインタビューの仕事は、緊張感と刺激に満ちています。どんな仕事でも、最後の最後に大事なのは人間性です。人と対峙すると自分の人間としての器量や本質が試されます。

尊敬する先輩（Aさんとしておきます）が退職し、ゆっくり会おうということになり、昔話に花を咲かせる機会がありました。

そのときに「今までしたインタビューで一番、印象に残っていることはなんですか」と聞いたのですが、その答えは今でも私がインタビューに臨むときの、というより人と向き合うときの心構えとなっています。その話とは、こんな内容です。

まだ駆け出しだった頃、Aさんはある評論家にインタビューをすることになりました。撮影も同時に行うので、カメラマンと一緒に相手の自宅に向かいます。カメラマンは被写体の内面まで写し出すような、表情や雰囲気をとらえるのが巧みなベテランでした。

インタビューのテーマは、アメリカのカルチャーについて。主にファッションについて話を聞くことになっていました。Aさんは元々アメリカのカルチャーが好きだったし、何本か記事を担当したこともありましたが、改めてその評論家の著書を読み、事前にアメリカのファッションを含めたカルチャーについて最新情報を集めるなど、入念な準備を整えました。

その評論家は当時マスコミで引っ張りだこの人で、インタビューされることに慣れており、質問に対して的確に答えてくれました。そのうえ質問されなくても、記事が面白くなりそうな情報をたくさん提供してくれました。ポーズがカッコよく決まった写真も撮れたし、良い誌面ができることは間違いない――Aさんは大満足のうちにインタビューを終えることができました。

評論家宅を辞し、達成感を土産に帰社しようとしたときにカメラマンから声をかけられました。「〇〇君、ちょっと寄っていこうか」。異存はありません。共に緊張感のある仕事を乗り切ったあと、一杯やりながら仕事の成果を語り合うのは至福の時間です。そこで、近くの店へ。

果たして、そのときにカメラマンから言われた一言が、その後のAさんの長い編集者生活で、一番心に残ったことでした。

「A君、知ったかぶりはダメだよ」

はじめはなんのことやらわかりませんでした。知らないことを得意げに話した覚えはないし、なによりインタビューは滞りなく進行し、相手が不機嫌になった様子もなかったし……。

「え？」と聞き返した彼に、カメラマンが一言。「ほら、最後のデニムのこと」。

しばらく考えて、思い当たりました。インタビューの終盤に、評論家がデニムについて話をしたのですが、デニムについての話は既に記事にするのにじゅうぶん聞いていたのでなんとなく「あれは～～ですよね」と軽く受け流して話を切り上げてしまったのです。そして、校正の段取りなど事務的な話をしようと考えていたところだったので、自分が言いたいことを話し始めてしまいました。カメラマンは、Aさんの対応にひっかかりを感じて、評論家の表情をうかがいました。すると、彼はカメラマンと目を合わせて眉を少し持ち上げたそうです。

「あー、やっちゃったと冷や汗が出たよ。話を切り上げたい気持ちが出ちゃったんだよね。それで、相手の話にちゃんと耳を傾けずに、いい加減なことを言ってしまった」

相手の話に真摯に耳を傾けるのは、インタビュアーの基本です。自分の得たい情報さえ得られたらそれでいい、などということはないのです。もっと聞けば、もっと興味深い話が出てくるかも知れない。あるいは、インタビューイーが本当に言いたかったことは、これからなのかもしれない。いや、それ以前に相手のどんな話にも興味を持って聞くのがインタビュアーなのに――。

相手に失礼をしてしまったという申し訳なさと、インタビュアーとしての自分の態度に腹が立って……Aさんが長い編集者生活で一番思い出に残っているのは、そんなエピソードだったのです。

自慢話や武勇伝ではなく、インタビュアーとして当たり前のことをしなかった自分の話を一番の思い出としているAさん。ちょっとカッコいいと思いました。

第5章

ストラテジー／3

共感的理解

共感するとともに深い理解を示す

話が盛り上がって楽しかったと思うのは、相手から面白い話を聞くことができただけでなく、自分も「たくさん喋った」ときではありませんか。
人には「自分のことを話したい」「わかって欲しい」「話を聞いて欲しい」という欲求があります。その欲求は、相手が自分の話に熱心に耳を傾け、心置きなく話すことができると満たされます。充実感が得られ、楽しいと感じるのです。インタビュアーは、そのような欲求に応える、もしくは、その欲求を刺激することで、より多くの話を引き出します。「共感的理解」は単に「共感」するだけでなく、相手と同じレベルで話の内容を「理解」していることを示し、話したいという欲求に応えるストラテジーです。

「話したい」という欲求にどう応えるか

自分が話しやすいように上手に導いてくれる人と会話をすると、いろいろな話題で話が弾むだけでなく、ふだんはあまり人に話さないような打ち明け話までしてしまうことがあります。このように相手に積極的に話をするように促し、自然とたくさん話をさせるのが、いわゆる「聞き上手」です。

話す気にさせる「共感的理解」とは

「たまたまその人と気が合ったから」「知識が豊富で誰とでも合わせられる人だから」など、「聞き上手」は性格や個性といった、その人の資質によるものと思うかもしれませんが、それだけではありません。「どのように聞くか」というストラテジーを知っている人なのです。日常の会話で「聞き上手」な人たちは、そのストラテジーを無意識に使っていますが、相手から話を引き出すために人と話すインタビュアーは、意図的に使っています。

一般的な会話において、相手に好意を抱いていて近づきたいと思っている場合には、会話のなかで相手への興味、関心、共感をより強く示すストラテジーが無意識に用いられています。インタビュアーの場合は、さらに深い話を「引き出す」ために、「共感的理解」という態度をストラテジーとして用います。

この章では、相手の話を「聞く」態度がなぜ重要なのを述べます。

話す気にさせる「聞く態度」

インタビューでは、「何を聞くか」に意識が集中しがちですが、「どのように相手の話を聞くか」は、質問の内容と同じくらい重要です。同じ内容の質問なのに、インタビュアーの「聞く態度」によって、インタビュイーが表面的な話しかしないこともあれば、逆に思いもよらない興味深い話が引き出せたりすることもあります。以下のAさん、Bさんの聞き方を比べてみましょう。

【会話1】

＼ Aさんの聞き方 ／

Q 今日、遅刻したでしょ。

今朝、家具の角に
足の小指をぶつけちゃって。

Q そうだったんだ。

＼ Bさんの聞き方 ／

Q 今日、遅刻したでしょ。

今朝、家具の角に
足の小指をぶつけちゃって。

Q えっ、やっちゃったんだ。
あれ痛いよねー。

相手からさらに話を引き出すことができるインタビュアーの「聞く態度」とは、相手の話をしっかりと受け止め、「あなたの話を熱心に聞いています」ということが確実に伝わるような態度です。「熱心に聞く」とは、「あなたを受け入れています」という受容の現れです。受容されていると感じられれば、「この人に話をしても大丈夫そうだ」「今、している話を、もっと聞きたいようだ」と安心し、かつ、自信を持ってさらなる発言ができるのです。

ふだんの会話でも、こちらが話しているのに相手が上の空で聞いているなと感じたら、それ以上話す気がしなくなるでしょう。でも、興味津々で聞いてくれていると思ったら、どんどん先を話したくなってくるのと同じです。あなたなら、会話１のAさん、Bさんのどちらと、より積極的にその先を続けて話そうという気になりますか。もちろん、Bさんでしょう。

Bさんは足の小指をぶつけてしまったことに対して驚き、過去の自分の経験から「どれほど痛いか」もわかっていることを伝えています。だから、その続きの話も、興味をもって聞いてくれるに違いない、と思えます。朝、寝坊して急いで家の中を慌ただしく移動しているときに起こったという状況を説明したら、「それならば仕方ない」とわかってくれそうです。

かたやAさんは、話を“聞いた”という合図を送っているだけです。どんなに痛いのかに共感してくれなければ、「そのせいで遅刻した」ということも理解してもらいにくいのではないか――そんな危惧が生じ、その先を話すのは躊躇するでしょう。

Aさんは、話の続きをもう聞きたくないと思ったわけではないとしても、「深刻な怪我にはならなかったか」「どんな状況だったか話してみて」といった、さらに詳しい事情を積極的に聞きたいというサインを出すことはできていません。

言うまでもなく、Bさんのほうが聞き上手といえます。

このように、相手の話を「聞く態度」で、より多く話してもらうことができるのです。その意味で、インタビュアーは「聞き上手」ですが、より積極的にインタビュイーから話を引き出すという意味で「引き出し上手」といえます。

「引き出し上手」とは

もし、会話1のようなやりとりがインタビューの際に行われた場合、インタビュアーならどのように話すでしょうか。Bさんよりも、さらに相手の身になった聞き方をするはずです。

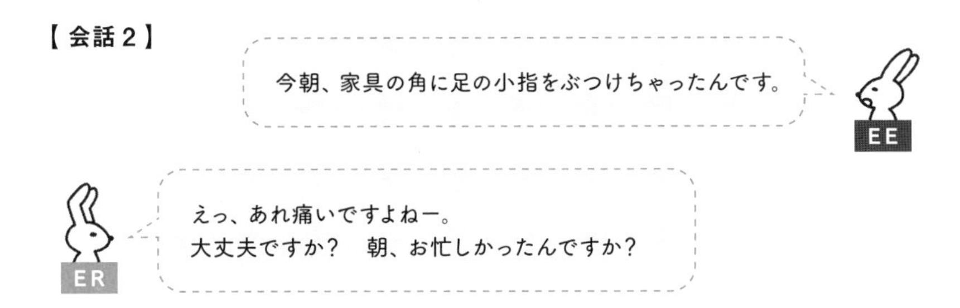

ER: インタビュアー　EE: インタビュイー

「えー、あれ痛いですよねー」と共感を伝え、さらに「朝、お忙しかったんですか」と、相手の状況に推察を加えています。このことにより、インタビュイーは、なぜ家具に小指をぶつけるはめになったのか、その状況を説明しやすくなります。

インタビュイーは「小指をぶつけた」とエピソードを披露しましたが、それによって何かを伝えたかったのかもしれません。「どんなに痛かったかわかって欲しい」だけなのか、もしかしたら「なぜぶつけたのかを話したい」「実は、おっちょこちょいであることを話して自分がどういう人間か伝えたい」のかもしれません。後者だとしたら、ただ「痛さ」に共感するだけでなく、後述を導くひとことがあったほうが、詳細を話しやすくなります。

たとえ「痛かった」ことだけを伝えようとしたのであっても、聞かれたことによって「実は寝坊した」「こう見えておっちょこちょいだ」あるいは、「ペットに気を取られてよそ見をした」などと話し始め、意外な方向に話が展開する場合もあります。
　このように、話の内容に共感するだけでなく、理解を示し、さらなる話を「引き出す」のが、インタビュアーのストラテジーです。
　このストラテジーを、本書では「共感的理解」といいます。

心理カウンセラーの態度に学ぶ

「共感的理解」は、もともとアメリカの臨床心理学者カール・ロジャーズ(Carl Rogers)がカウンセラーの態度として提唱した３つの条件のひとつです（あとの２つは、「自己一致」と「無条件の肯定的関心」）。これは心理療法士や心理カウンセラーのほか、看護師や理学療法士など対人援助職と称される職業に共通して必要な態度といわれ、相手の発言を論理で理解しようとするだけでなく、感情を理解し、気持ちを分かち合っていると示すことで、さらなる感情の吐露を促進するというものです。
　カウンセラーが相手の気持ちを自分のことのように感じていると伝えると、クライエントは深く理解されていると感じ、さらに多くを語り出すのです。
　人は理詰めや質問攻めでは、心を開いて話してくれません。インタビューでは、インタビュアーが「相手の思い」をあたかも「自分の思い」のように感じているという「共感的理解」を伝えることで、より多く話すよう導きます。

「共感的理解」の伝え方

カウンセラーは、「自分の話をわかってもらいたい」「自分のことを知ってもらいたい」というクライエントの欲求に対して、「共感的理解」を示し、カウンセリングを行います。インタビュアーも、インタビュイーの話を引き出すために「共感的理解」を伝えることによって、さらなる話を引き出します。

どのように伝えるか

インタビュアーはどのように「共感的理解」をストラテジーとして用いているのでしょう。実際のインタビューでは、相手の発言を「先取りする」、「まとめる」、「確認する」ことによって、「共感的理解」を示しているケースが多くみられます。それぞれの会話から詳しくみてみます。

1. 先取りする

次ページの会話3は、タレントにライフスタイルについてインタビューした際のインタビューの一部です。「共感的理解～先取りする」のストラテジーが用いられています。

【会話3_先取りして共感的理解を伝える】

10年前と体重変わられてないですよね。

変わってますよ。といっても2キロくらいですけど。

えー、ほぼ変わらないんですね。
やはり、ふだんから節制してらっしゃるんですか。

ぜんぜん。食べるの好きだから。そんなに頑張ることないかなって。元気の秘密は頑張り過ぎないことなんです。日本人ってみんな真面目すぎじゃないですか。

すごくストイックで、そんなに必要ないのにやんなきゃって自分で思い込んでるところあるかもしれないですね。

そう、そうなの。
友だちの悩みとか聞くと、ほんとみんな自分に厳しくて。いやいやもっとこうじゃなきゃとか自分を責めたりしてるから、ええーって。
私、帰国子女なんで。 日本人、素晴らし過ぎるって思っちゃうんですよ。みんなっていうわけじゃないけど、真面目過ぎて楽しみを逃してないかなって。頑張りすぎは、もったいない。

ER:インタビュアー
EE:インタビュイー

インタビュアーは、インタビュイーの発言に対して「ストイック」という言葉を象徴的に用いて相手の言いたいことを察し、続きを促しています。それを受けてインタビュイーは「そう、そうなの」と肯定し、「自分に厳しくて」、「自分を責めたり」と、「日本人、素晴らし過ぎすぎる」「真面目過ぎて楽しみを逃してないか」という持論を具体例とともに展開しています。

ここでは、インタビュアーは相手の言いたいことを察し、その内容を先取りすることによって「共感的理解」を示し、その先を話すことを促しました。その結果、「日本人は自分に厳しい人が多いと思う」「自分は帰国子女である」「真面目にやり過ぎて楽しみを逃したくない」などの情報を獲得しました。インタビュアーは、新たな質問をしたわけではありませんが、「聞く態度」によって相手から、さらなる発言を引き出すことに成功したといえます。

2. まとめる

相手の話を聞いて、その内容を要約することで「共感的理解」を示し、さらなる発話を促すストラテジーです。以下は、女優への美容に関するインタビューの一部です。

【会話4_話をまとめて共感的理解を伝える】

私、キッチンにも化粧水置いておくんです。もちろん、洗面台にも。だから、2セット置いてあって、家事してふっと座って、しょっちゅうパシャパシャ。そういうのって大事だと思って。

そういう小さな心がけ、
小さな積み重ねって、大きいですよね。

大きいと思う。結局、なんか1回どんと3カ月に1回奮発してエステに行くより、たぶんそういう日々の積み重ねのほうが大事なのかなって思いますね。

ER: インタビュアー　EE: インタビュイー

インタビュアーは相手の話の内容を「小さな心がけ、小さな積み重ねって大きい」とまとめることで「共感的理解」を示しました。それに対し、インタビュイーは自分の習慣の価値を再認識し「小さな積み重ねのほうが、3ヵ月に1回行くエステよりも大事」と先を続け、持論を展開しました。

3. 確認する

「共感的理解」は、質問のかたちをとることもあります。以下は、あるメーカーの工場での責任者へのインタビューの一部です。

【会話5_確認することで共感的理解を伝える】

製造設備の殺菌は化学薬品とかを使わないで行っています。蒸気でするんです、わが社では。

蒸気で殺菌を。
普通のメーカーはやってないんですね。

そうです。うちは食品工場のやり方を取り入れてて。

そのほうがきっと手間がかかるんですね。
化学薬品でやるより。

はい。残るものがあると商品の品質もそうですし、安全性の面でも問題が出てしまうので、時間がかかっても蒸気を使って殺菌をしながら洗っているんです。

ER: インタビュアー　EE: インタビュイー

インタビュイーである工場の責任者は、化学薬品などを使わずに蒸気で殺菌をすると話しましたが、冒頭の説明では、いかに安全性を重視しているか、それを実現するために特別なことをしているということやそれをする理由が明確には伝わりません。より詳しく説明してもらう必要があります。

そこで、まずインタビュアーは、相手が何を言いたいのかを察して、「蒸気で殺菌を」と確認をしたあと、「普通のメーカーではやってないんですね」と質問形式で「共感的理解」を示しました。すると、インタビュイーは、通常は食品工場でやっていることを取り入れており、それは他ではやっていないことだと答えます。それでもまだ、蒸気による殺菌を行っている理由が十分に伝わらないと思い、わざわざ手間のかかることをやっているのか、と聞きました。その結果、インタビュイーから、手間もかかるが、安全のためにそこまで気を遣っている、という情報を引き出すことが出来ました。つまり、わかりにくいことをよりわかりやすくインタビュイーの言葉で話して欲しいときに確認の「共感的理解」を示しながら質問をして、インタビュイーの話を引き出します。

以上のように、単に相手の発言に共感を示すだけでなく、理解を示すことで、続きを話しやすくするストラテジーが、「共感的理解」です。

WORK 06

どうする？
どう聞く？

共感的理解を示す

あなたの質問に対し、インタビュイーが以下のように答えました。
さらに話を引き出すために、どのような「共感的理解」のストラテジーを用いますか。
A、B、Cの会話にふさわしいインタビュアーの共感的理解を示す発言を考えましょう。

会話_A

ER: 最近の若者は夢を持たないと言われていることについて、どう思いますか。

EE: 就活の面接で、必ず夢はなんですかって聞かれますよね。あれ、夢を持っているのが前提で聞いてますよね。

ER: ________________________________

会話_B

ER: SNSについてどう思われますか。

EE: 発信力があるのは良いと思うのですが、フォロワーの数で、その人が評価されるのは……。

ER: ________________________________

会話_C

ER: 日本の将来性をどうお考えですか。

EE: IT産業では遅れを取っているし、優秀な人材は海外に流出してしまうし。

ER: ________________________________

インタビュー裏話 5

そのやり方はズルいです

人から話を聞くのが仕事ですが、ときおりインタビューされる側になることがあります。テーマは美容のことだったり、女性の生き方であったり、その時によって違いますが、自分がインタビューをするときに前もって質問を考えるように、立場が逆になったときには、事前に自分が言いたいことを考えておきます。

質問のすべてが前もってわかるわけではありませんが、必ず聞かれるであろうことは予め伝えられたインタビューのテーマから推測できるので、急に聞かれても困らないように整理しておくのです。その他に、「これは絶対に伝えたい」ということもまとめておきます。

ところが、インタビューが終わってみると、たいていの場合、言い逃したことがたくさんあって残念な気持ちになります。「あー、なんであのことを言わなかったんだろう」「あれも話したかったのに」と思いますが、もはや手遅れ。

なぜそんな思いをすることになるのでしょう。最大の理由はズバリ、「インタビュアーが質問してくれなかった」からです。

インタビュイーは聞かれたことに対して返答をするので聞かれていないことを自分からは話しにくいのです。もちろん、インタビューにセオリーがあってそのように決められているわけではありませんが、インタビュイーは、質問されたことに集中して、誤解なく伝わるよう一所懸命に話します。質問されたことについて話しながら、「あ、この話のついでにあのことも話そう」と考えているのですが、それを話し終わると、インタビュアーはすぐに別の質問をしてくるので、今度はそちらに集中し、結果「あのこと」については話すタイミングを失ってしまうのです。

スピーチや研究発表であれば、自分が話すことを決められますが、インタビューは双方向の言語行為です。質問する人がいてこそ話すことができるので、インタビュアーの責任は大きいのです。

インタビュイーが極端に発言の少ない人の場合は別ですが、「話す内容がつまらなくて面白い記事が書けなかった」という言い訳はインタビュアーとして極めて恥ずかしいことです。人から話を引き出すプロなのですから「面白い話が引き出せなかった」と反省しなければなりません。

こんな例があります。ある脚本家（女性）のインタビューの連載記事を担当していました。ページ構成は地の文がなく、その脚本家の独白の体裁をとっていたので、予め毎月のテーマを相談のうえ決めていました。

このようなインタビューでは、インタビュイーがテーマに沿って自分の話したいことを決めてきてインタビューに臨むのがセオリーです。そして、インタビュアーはあいづちを打って話の軌道を調整したり、読者の関心が高そうな話が出たときに、そこをもっと詳しくと「突っ込み」を入れたりします。言いたいことがまとまらないときは、いっしょに考えます。始めの数回は、順調でした。ところが、3回目くらいから、そのインタビューは通常の何倍もの集中力とエネルギーを要するものになったのです。

理由は、脚本家がインタビューに何も考えずに臨むようになったからです。忙しくて考えてくる暇がなかった？　あまり乗り気でない仕事なので手抜きをしていた？　そんなふうに疑ってもみましたが、どうやらそういうことではないようでした。

あるときインタビューの冒頭で、こう言われました。

「さぁ、私から引き出してください」

彼女は気づいたのですね。「人は聞かれたことにしか話せない」と先に述べましたが、「聞かれて初めて考える」こともあるのです。

連載が終了したときに彼女が話してくれたことによると、インタビューの最中に、彼女は自分のなかにあった「潜在的な思い」に気づくことがしばしばあったそうです。自分で自分の心の中を覗き込んでも見えてくるものには限界があるけれど、質問に答えることで自分でも思いもよらなかった自分のことが見えてくる。その結果、自分の未知の部分を知ることができ、新鮮さを感じた――言いたいことを決めてしまうよりも、引き出してもらうほうが、より深く自分や自分の思いについて話すことができる――そして、それは楽しい作業だったそうです。

ストレスや悩みがあったときに、人と話すことによって自分の気持ちや考えが整理されてスッキリすることがあります。

人と会話をすることは、相手を知るだけでなく、自分を知ることに通じます。もやもやしていたものが整理されたり、新しい自分が発見できたりします。それは人としての成長に繋がります。

人と話すことは大切です。インタビューに限らず、身近に信頼できて、かつ上手に質問してくれる人がいたら心強いですね。質問する力を鍛えることは、大きな意味があるのです。

しかし、インタビイーになったときはどうでしょう。予め言うことを考えなくていいのでラクをしながら新しい自分の発見ができます。それは楽しいでしょう。でも、かたやインタビュアーはゼロの状態から相手が何を考えているのかを探っていかなければなりません。労力と時間がかかります。また、インタビュアーが書きたいと思っていることを質問しがちなので、誘導尋問になるおそれもあります。

前述の脚本家のケースでは、彼女の意外な一面が語られた興味深い連載記事になりましたが、「後出しジャンケン」みたいでちょっとズルイやり方だなと思いました。

第6章

ストラテジー／4

あいづち

話の進行を左右する会話の小道具

自分が話しているときに、相手から「うんうん」「えーっ」「本当に？」といったあいづちによる反応があると、興味を持って聞いてくれていることがわかり、安心して話を続けることができます。話していて気分がいいし、期待に応えようとより話に熱が入るでしょう。しかし、相手の反応が薄く無言だったり、もしくは、気のないあいづちが返ってきたりしたら、ちゃんと聞いているのか不安になり、話を続ける気持ちが失せてしまいませんか。話の内容にも自信がなくなり、早く切り上げようと思うはずです。

あいづちは、相手に話を続けさせたり、やめさせたりすることができる、大きな役割を果たす会話の小道具なのです。

あいづちはメッセージ

日本で育った日本語話者は、無意識にあいづちを有効活用しています。他の言語では、相手が話している最中にあいづちを打つのはマナー違反になる場合もありますが、日本語会話にはなくてはならないもので、インタビューにおいては重要な小道具であり、その打ち方は話を引き出すための重要なストラテジーとなります。

話し手と聞き手が協力して会話を進行させる

講演会や学校の授業など一人がいっぽう的に話をしている場合でも、聴衆が頷いたり、身を乗り出したりして熱心に聞いている様子が目に入れば、話し手は勇気を得て自信をもって話すことができます。少人数の会話では、聞き手の反応がよりダイレクトに話し手に伝わるので、あいづちが重要になってきます。「しっかり聞いています」「その先が聞きたいです」という熱い反応が話し手に伝われば、「もっと続きを話そう」と思うし、薄い反応だったら、「この話は、もう切り上げよう」と思います。

つまり、話す側と聞く側が協力して話を進行させているのです。そのため、あいづちは会話の進行や方向性を左右する重要な役割を担っています。会話をスムーズに進行させたり、盛り上げたりするには、話す人だけでなく、話を聞く側の役割も大きいのです。

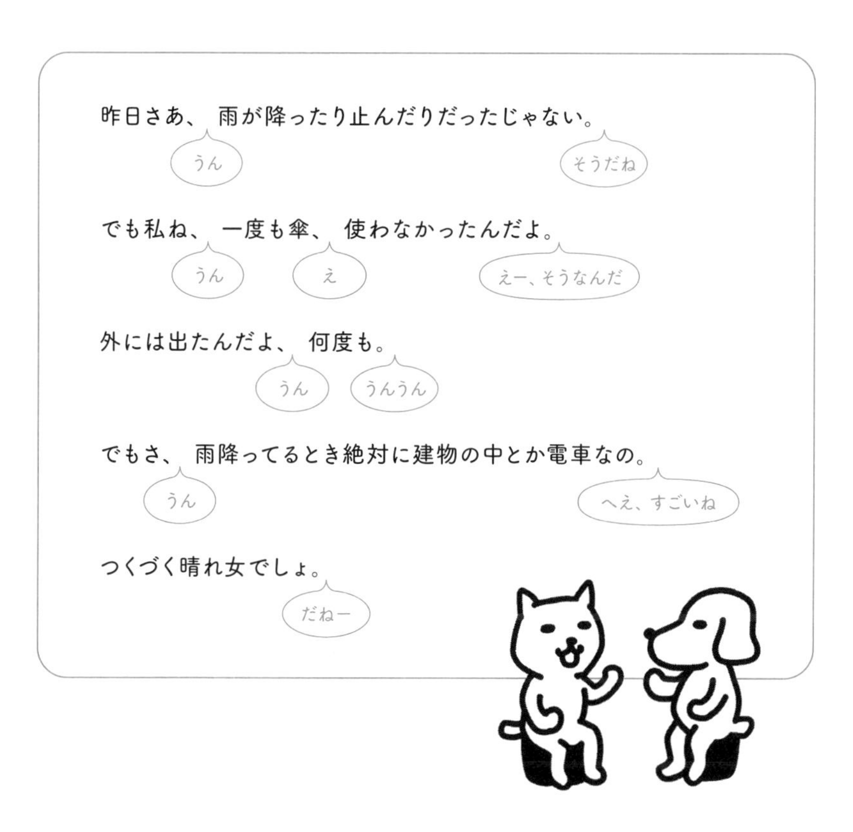

上の友人同士の会話をみてみましょう。青い吹き出し内は聞く側のあいづちです。このように短い会話のなかでも、あいづちが頻繁に出現します。自分ではそれほど多くのあいづちを打っていないと思っているかもしれませんが、友人との会話などを録音して厳密に書き起こしてみれば、想像以上に、頻繁にあいづちを打っていることがわかります。

あいづちを活用する日本人

学校の国語の授業で「あいづちの打ち方」を勉強するわけではないのに、日本で育った日本語話者は、無意識にあいづちを有効に活用し、まるでリズムをとるように話の進行をサポートしています。

しかし、日本語以外では、聞いている側が口をはさむのは話している側の話が終わってからという言語もあります。そのような言語においては、日本語会話のように相手が話している最中に頻繁にあいづちを打つ行為はマナー違反なのです。話を妨害していると捉えられるのです。

ちなみに日本人の会話に出現するあいづちの頻度は、アメリカ人の約2倍（メイナード 1993)、中国人は日本人とアメリカ人の中間くらいの頻度（水野 1988）といわれています。

当然、日本語で行われるインタビューにおいては、インタビュアーの「聞く態度」に必須の要素として、あいづちはとても重要です。あいづちひとつで思いがけない話が引き出されることがあれば、打たなかったために聞き逃してしまうこともあるのです。

ふだん無意識に打っているあいづちも、インタビューにおいては重要な小道具であり、打ち方は話を引き出すための重要なストラテジーとなります。インタビュイーの話を引き出すあいづちの効果を知って、上手に使いましょう。

あいづちの機能

インタビューの際のあいづちを詳細に観察すると、さまざまな感情やメッセージを伝えていることがわかります。以下は、あるインタビューに登場したあいづちを機能別に分類したものです。

これらのようなあいづちによって「聞いていますよ」というサインを出したり、「その先を続けて」と促したり、また「聞いた内容の受け止め方（同意、感動など)」などがメッセージとして伝わります。それを受けて、話す側は、話の続け方に反映させるのです。

【あいづちの機能別種類】

●聞いています、わかりました、という合図

「はい」「ええ」「そうなんですか」「ふうん」
「ふんふん」「うん」

●その先を続けて、という促し

「それで？」「で？」

●同意します、というメッセージ

「はい」「ええ」「そうですよね」「確かに」

●驚き・感心・疑問などの感情を伝える

「えっ」「ええ？」「マジ？」「本当に？」「そうなの」
「びっくり」「うそ」「おもしろーい」「がっかりー」

そのため、もし「その話はもういいです」ということを伝えたければ、そっけないあいづちを打てばよいわけです。

あいづちひとつで、互いにこれだけの情報交換が行われ、会話をリードすることができるわけですから、インタビューではとても重要なツールであることは言うまでもありません。

あいづちを
どのように打つか

同世代や家族、親しい間柄では「うん」、目上や初対面の人には「はい」と言うなど、無意識に相手や状況によってあいづちは使い分けられています。友人同士で話が弾んでいるときには、「マジで」「うそー」「確かに」「どひゃー」など擬音も含め、さまざまなあいづちによって感情豊かにメッセージを伝えることができます。

バリエーションを増やす

しかし、緊張を伴う相手との会話ではどうでしょう。丁寧に言おうとすると感情を表現するのが難しくなり、「はい」「ええ」などワンパターンになりがちです。そんなふうに、どんな話をしても、同じあいづちだと、「真剣に聞いてくれているんだろうか」「この話に興味がないのではないか」と思われてしまいます。

インタビュイーの話の内容に合わせて、自分の気持ちが伝わるあいづちを打ちましょう。そのためには「あいづちのバリエーション」を増やす必要があります。

先に述べたあいづちの機能別種類に従って、インタビューで使えるあいづちの例を挙げます。

【インタビューで使えるあいづち（機能別分類）】

●聞いています、わかりました、という合図

「はい」「ええ」「そうなんですか」「そうですよね」
「わかります」「ああ」

●その先を続けて、という促し

「それで？」「結局どうなったんですか」

●同意します、というメッセージ

「はい」「ええ」「そうですよね」「確かにそうですよね」

●驚き・感心・疑問などの感情を伝える

「えっ」「ええ？」「すごい」「本当ですか」「そうなんですか」
「驚きです」「おお！」「意外です」「それは知りませんでした」
「面白いですね」「それは残念でしたね」

インタビュアーにとってあいづちは、インタビュイーから話を引き出すための小道具ですが、サービスのつもりで大袈裟なあいづちを連発するとわざとらしさが生じ、逆効果です。話をしっかり理解したうえで、素直な気持ちを伝えるつもりであいづちを打つことが大切です。

オーバーラップして打つ

テレビやラジオなどでは、聞きにくくなるため音声が重ならないよう、出演者は話し手がある程度のまとまった発言をしたあとに、聞き手があいづちを打っています。しかし、日常会話を文字にすると、多くは、以下のように相手の話が途切れたとき（＝語や句の句切れ）に頻繁に出現しています。友人との会話では、「昨日さあ」「私ね」といった語の短い区切りにも、あいづちを打っています。これは「聞いているよ」というサインであるとともに、「昨日なんかあったの？　教えて」「あなたに何が起こったの？　話して」と先を促すメッセージにもなっています。

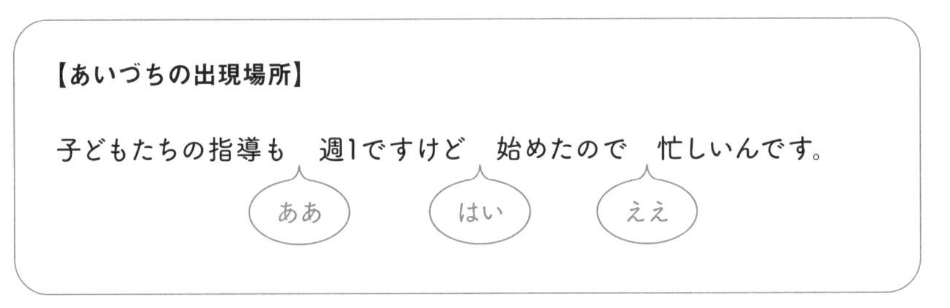

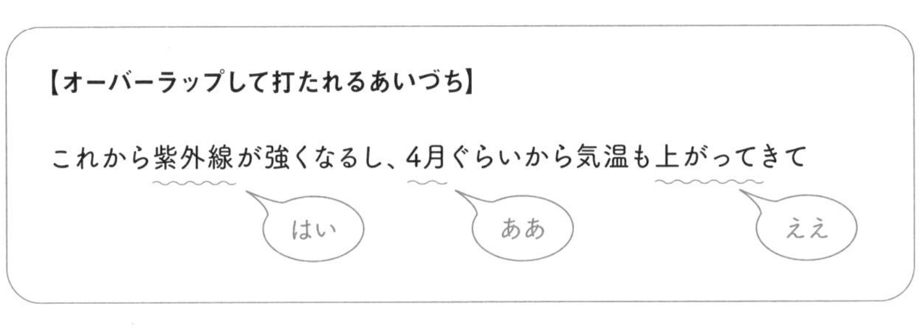

インタビューを厳密に書き起こしてみると、上のように相手が話している最中に、オーバーラップしてあいづちが打たれていることがあります。これは日常会話でも起こっていることで、なぜ区切りでなく話している最中に被せてあいづちを打っているのかというと、話の中に出てきた単語に反応しているからです。つまり、「紫外線」や「4月」「上がって」という言葉から、日やけについてインタビュイーがこれから語ろうとしていることを察して、インタビュアーが「そのことについて聞きたい」というメッセージを、あいづちで反射的に発信しているのです。

　このようにあいづちは、さまざまな打ち方があり、話が盛り上がっているときなどは、あいづちのオーバーラップは会話のリズムをとるように多く出現することがあります。このようなときは話しているほうも邪魔をされているとは感じません。

　また、あいづちの打ち方には、その人なりの癖があります。会話をしているときに自分がどのようなあいづちを打っているか意識し、相手の話を遮っていないか、うまく話を先に導いているか、など客観的に分析してみましょう。また、この人とは話しやすいと感じる人との会話を録音し（相手の了承をとったうえで）、あいづちのバリエーションやタイミングなどを観察すると参考になります。

非言語情報（動作、視線、顔の表情、声のトーン）も重要

あいづち以外にも、話を引き出す役割を果たす小道具があります。「しぐさ」、「目線」、「顔の表情」、「声の大きさ」などの非言語情報です。インタビューのときには、それらにも気を配り、有効に使うとともに、不快感を与えないよう注意しましょう。

◆動作

「聞いています」、「わかりました」、というサインや同意を示すときは、たいてい頷きながらあいづちを打っているはずです。頷きの動作が大きければ、感情がこもっているように見えます。頷くだけでなく、上半身を乗り出して「そうですよね」といえば、さらに強く同意している気持ちが伝わります。

また、あいづちを打たなくても、話を聞きながら頷けば、「はい」「そうですね」のサインとなります。話の内容が深刻なものであれば、あいづちを頻繁に打つよりも、頷きだけのほうがインタビューイーは話しやすく、また「真剣に聞いている」印象にもなります。ただし、あまり動作が大きいとわざとらしさを感じさせるので、オーバーなリアクションは考えものです。

また、姿勢も大切です。椅子の背にもたれたり、足を組んだりしていると、尊大な態度に見え、インタビューイーとの間に親近感が生まれにくくなります（相手を追い詰めて白状させるようなインタビューでは話は別ですが）。すこし前のめりになっているくらいだと集中して聞いてい

る印象になります。

ノートを広げ、手にはペンを。録音していてもいつでもメモが取れる構えをキープするのが、インタビュアーの基本姿勢です。

◆視線

アイコンタクト（視線を合せる）もコミュニケーションの手段のひとつであり、視線をまったく交わさないのは失礼にあたります。しかし、話している間中、相手にじっと見つめられていると圧迫感を感じ、話の内容に集中しにくいものです。

リラックスして話してもらうには、質問をするときや、ひとまとまりの話の途切れなどに視線を合わせ、また、相手が心の中を探ったり迷ったりしているように見えるときには、視線をはずしたほうが話しやすくなります。しかし、視線をはずすといっても、あたりを見回してきょろきょろするのではなく、下を向く、メモをとるなど、話に集中している態度をとりましょう。

なお、テレビのインタビュー番組では、インタビュアーは常にインタビュイーの顔を見ていることが多いように見えます。しかし、じっと目を見つめ続けているわけではなく、額や鼻に視点を合わせるなど、視線の圧力を感じさせない工夫をしています。

◆顔の表情

楽しい話を聞いているときは楽しげな表情に、悲しい話を聞いていれば悲しげな表情に、少なからずなるものです。たいていインタビュアーは、インタビュイーに共感しながら聞いているので、表情にも反映されているはずです。

自分が面白いと思う話をしているときに、聞いている人も面白がっていることがわかったり、驚かせたいと思う話をしたときにパッと顔を上げて目を見開き「えっ、ほんとですか!?」と言われたりしたら、自分が感じたことを相手と共有することができたと思い、嬉しくなるでしょう。そして、もっと話したくなります。顔の表情もあいづちと同じように、メッセージとなります。意図的に表情をつくる必要はありませんが、自分の表情も見られていることを忘れないでください。

◆口調

インタビュアーは、アナウンサーのように滑舌よくはきはきと話すことが必須なわけではありません。もちろん、政治などを扱うジャーナリズムの世界やスキャンダルを暴くような取材では、強い口調で切り込んだり、説得力のある話し方をしたりしなければつとまらないこともあります。

しかし、それ以外のインタビューの場合は、威圧感を与えない、柔らかい話し方のほうが安心感を与えることができ、インタビュイーは話しやすく感じます。口調も相手へのメッセージとなるのです。

◆声のトーン・話速

相手がスリリングな体験をしたことを声高に、早口で語っているならば、インタビュアーもそのように話したりあいづちを打ったりしたほうが、リズムがよくなり会話は盛り上がります。悲しい話を低い声でゆっくりとしているときは同じような声で、また、内緒話のような話し方を相手がしていれば、こちらもひそひそと話すようにします。

このように声のトーン（高低強弱）や話速(話すスピード)を同調させると、共感していることが伝わりやすくなります。

また、楽しい話を引き出したいときには、まずインタビュアー自身が高めの声で話速を速めにすることで、楽しい話を聞く雰囲気がつくられます。

　これから引き出したいのはどんな話なのかに応じて、質問する際の話し方、声の調子を変えるのも有効なストラテジーです。

場の雰囲気をつくるのはインタビュアーの役目

　以上のような非言語情報の活用は、仲間内で話すときには互いに無意識に行っていることです。しかし、インタビューでは、場の雰囲気を作るのはインタビュアーの役目です。あいづちや非言語情報をストラテジーとして意識しましょう。

WORK 07

どうする？
どう聞く？

　人には少なからず、口ぐせのように、よく使いがちなあいづちがあります。なかには、好感をもたれないものもあるかもしれません。自分では無意識に口にしているので自覚できないことがあります。友人同士で観察し合い、よく使っているあいづちを書き出してみましょう。

- 「まじ？」「やばい」「げげっ」「それってさー」など、初対面や目上の人へのインタビューの場面でふさわしいものでないものがあれば、ふさわしいあいづちに置き換えてください。
- 同じあいづちばかり使っていないかをチェックし、同じあいづちが続いていたら、ほかのあいづちに置き換えてみましょう。

インタビュー裏話 ⑥

あいづち名人への道

これをいうと誘導尋問だと誤解されることがあるのでインタビュアーは自分からあまり言いませんが、インタビュイーの話の方向性はあいづちの打ち方ひとつで、コントロールすることができます。といっても、それは特別な技術ではなく、日常会話で誰でもしている言語行動です。

たとえば、友人と話していて、えんえんと自慢話を聞かされたり、自分に興味のない話をされたりしてうんざりしてきたときには、よそ見をしたまま平板な言い方で「ふーん」「そう」と、あいまいにあいづちを打っているのではないでしょうか。よほど感覚がズレている人の場合にはわかってもらえませんが、たいていの人は、このような「薄い」反応をされているうちにトーンダウンしていくはずです。

また、人の陰口を言うのが好きな人がいて、自分はそのような話が好きでなかったら、相手の目を見ず、あいづちも「そうなんだ〜」「へえ」と軽く打つ程度にしておくと、以後もそのような話はされにくくなるでしょう。

「その話、聞きたくないからやめて」と言うと角が立ちますが、あいづちによる「私はその話には興味がありません」というメッセージならば、人間関係にヒビを生じさせるリスクを避けることができます。

インタビューの場合、基本的にはインタビュイーの話すことはどんな話でも、その人と向き合い、深く理解することに通じるので、インタビューのテーマと関係のない話でもしっかり耳を傾けて受け止めるべきだと思います。また、そのような余談のほうが面白いことも多々あります。本題からそれて楽しく盛り上がっている場合には、頃あいをみて高めのトーンではきはきと「で、話を元に戻しますが」とダイレクトに言っても気を悪くされることはありません。

しかし、テーマと無関係の話があまりに長く続く場合には、「その話はもう終わりにしましょう」というサインを伝えなければなりません。インタビューの時間は制限があるので、本来の聞くべきことが時間切れになってしまっては困るからです。それに、記事にしないことがわかっていることを一生懸命話してもらうのは申し訳ないものです。

そんなときに、あいづちは便利です。「そうなんですかー」「はいー」と低いトーンのゆっくりとした調子のあいづちを回数少なく打てば「この話はいらない」ということが伝わり、相手は「このくらいにしておこう」と思うでしょう。

このように話すことをやめるように促すことも、あいづちでできてしまうのです。

あいづちはインタビュアーのとっておきの小道具です。一言で「話の内容はわかりました」「その話は面白いです」「もっと聞きたいです」「もっと続きを話してください」というメッセージを伝えることができるのですから。上手にあいづちを打って、新鮮な話題をどんどん引き出したいものです。

それでは、「あいづち名人」になるには、どうしたらいいでしょう。

なんといっても、WORK 07（105ページ）で練習したように、あいづちのバリエーションを増やすことが大切です。「はい」を基本に、ときおり「そうなんですか」「わかります」も使うと、単調にならずに心をこめて聞いている印象がアップします。とはいっても、実際にインタビューをしている最中に、意図的に「次のあいづちは違うのにしよう」と計画し、それを行うことは不可能です。では、無意識にさまざまな種類のあいづちが打てるようになるにはどうしたらいいでしょう。

あいづちはインタビュアーの感想を伝えるツールでもあります。つまり、聞いたことに対して、瞬時に自分が感じたことを声にして伝えればよいわけです。それは「うー」とか「えええっ！」といった言葉にならないものであっても気持ちは伝わります。

問題は「伝え方」よりも、「心が動く」ことです。

そんなこともあるんだ、と人ごとのように聞いていたら、どんな話を聞いても共感することはできません。聞いたことをインタビュイーが感じたように感じる想像力がなくては、心は動かないのです。

どんな話でも先入観なく、たとえ意見や感じ方が違っても、否定する前に、まず受け入れる——そんなふうに「話を聞く」心の広さ、柔らかさをもちたいものです。そのような心の持ちようは、性格や主義主張とは関係なく、心掛けることで身に付きます。

否定してしまえば、そこで終わってしまいますが、いったん受け入れてみれば、より多くのことについて人と語り合うことができ、より多くの情報を獲得することができます。

人と話すときは心を柔らかく——心の振り幅を大きくすることで、さまざまなことを感じ取り、気持ちのこもったあいづちを自然に打つことができるのです。

第7章

ストラテジー／5

中途終了型発話

最後まで言わない効果

言いにくいことを話すときに、最後まで言い切らず省略したり言葉を濁したりすることがありませんか。途中までしか言わない不完全な発話でも、相手は意味を理解し、会話はスムーズに進行していきます。なぜこのような話し方をするのでしょう。
最後まで言わない話し方は「中途終了型発話」や「言いさし文」などと呼ばれますが、ここでは「中途終了型発話」とします。インタビューでは、相手が能動的に話すことを促すストラテジーとして用いられています。

中途終了型発話で質問する理由と効果

「中途終了型発話」は日常会話で、コミュニケーションを良好に保つ目的で、よく用いられます。以下に例を挙げますが、A、B、Cとも、最後まで言い切らずに途中で話すのをやめています。

A

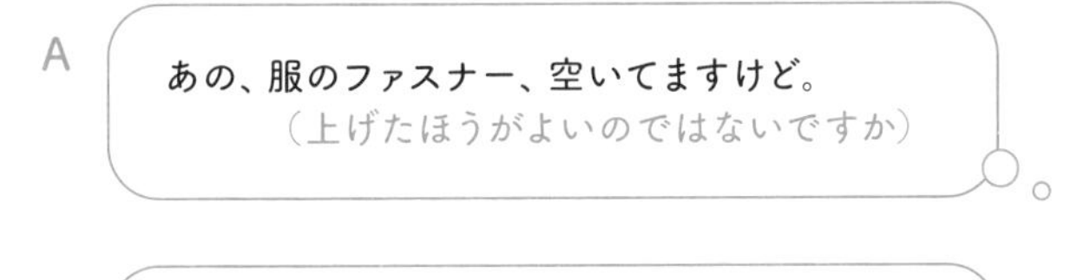

B

今日は都合が悪くて。（行かれません）

C

そんなに資格をたくさん持っているのに。
（なぜ活用しないのですか）

＊（　）内は省略された内容

途中までしか話さないことによって、Aは恥ずかしい失敗をこっそり指摘する、Bは誘われたのに断るという申しわけなさを表明する、Cは相手を問いただす表現を和らげる、というように、相手への配慮や自分の気まずさを緩和する効果がみられます。

インタビューでは、以上のような効果を期待するとともに、インタビュアーが相手から話を効率よく引き出すためのストラテジーとして用いられています。

なぜ全部言わずに話が引き出せるのか

日本語会話の特徴のひとつに「共話」があります（第１章参照)。「共話」では一人がある事柄について話を完結させるのではなく、他の人と会話を重ねながら１つの話を完結させていきます。まるでリレーのバトンを渡すように会話が続いていくのです。一人が話すのをやめ、「間」があくと、他の人が「バトンを渡された。自分が話す番だ」と認識し、続きを話し始めます。そして、また誰かにバトンを渡します。二人の会話でも、数人の会話でも、バトンの受け渡しは行われます。バトンを渡すことを「ターンの譲渡」と言います。「中途終了型発話」は話を完結させていませんが、無言の時間が「ターンの譲渡」のサインの役割を果たし、もう一方が話を始めることになります。

このストラテジーを用いるメリットはどこにあるのでしょう。以下は、「中途終了型発話」を使ったインタビュアーの質問です。

質問文は途中で終わっており、しかも、漠然としています。小学生時代のことなのか、あるいはもっと幼い頃のことなのか、また、子どもの頃の家庭環境が聞きたいのか、好きだった遊びや勉強のことを聞きたいのか、などさまざまに解釈することができ、何について聞きたいのか、はっきりしません。話して欲しいことを明確にするならば、続けて「兄弟はいるのですか」「学校の勉強は好きでしたか」「夢中になっていたことはありますか」など、具体的に聞きたい内容を続けるべきです。

しかし、インタビュイーはこの質問を聞いただけで、「ターン（順番）を譲渡された」と認識し、以下のように話しました。

子どもの頃ですか……。
母がピアノ教師をやっていた関係で3歳からピアノを習ってました。勉強は嫌いだったんだけど音楽の時間は大好きで。小学校5年生のときには、自分で作詞作曲して歌ってましたね、得意げに。

ER: インタビュアー　EE: インタビュイー

質問には、“何について”話してほしいという制約がなかったので、インタビュイーは、「自分が話したいと思った」子どもの頃のことを話しました。

あえて漠然とした質問を投げる

前述のやりとりでは、漠然とした質問を投げかけることで、インタビュイーが一番伝えたいことを話してもらうことができました。このように質問が漠然としていると、回答の自由度が広がるので、広い発想で、いきいきとしたコメントが得られる可能性が高くなります。また、インタビュイーが何を伝えたいと思っているかを知ることができます。

これは「中途終了型発話」で途中まで話してターンを譲渡し、自由に話したいことを話してもらうというストラテジーの成果のひとつです。

積極的に話したくなる

「中途終了型発話」は、「〜〜ですか」「〜〜ますか」といった疑問文のかたちにはなっていません。にもかかわらず、インタビューイーは、ターンを譲渡とされたと認識し、話し始めます。

【会話1】

御社の工場は機械化が進んでいますね。
でも、人の目も行き届いていて。

人間と機械の二重チェックで、安全性を徹底しています。

やはり、僅かなことでもチェック漏れがあると。

すべての努力がゼロになりますから。製品開発とともに
安全性の確保は重要です。今の時代、どんなに小さなク
レームも、会社そのもののダメージになりかねないんです。

ER: インタビュアー　EE: インタビュイー

会話1のインタビュアーの発話は「届いていて」「あると」と、途中で終わっており、疑問文のスタイルになっていません。しかし、インタビューイーは自発的にインタビュアーの話の先を引き取り、説明をしています。それは、ターンを譲渡されたと認識するとともに、完結せずに投げられた発話を補完して完結させようという意識、すなわち話す側と聞く側がいっしょになって話を完成させる「共話」によってもたらされた成果といえます。

より多くの情報を能動的に提供する

機械化が進んでいますね。
それでも、人の目も行き届かせているのですか。

やはり、僅かなことでもチェック漏れがあると問題になるのですか。

上は会話１の質問を完結した文にしたものです。このように「〜〜か？」という疑問文の表現では、聞かれているほうは受け身のスタンスになります。すると、聞かれたことに答えるだけになりがちです。言い方によっては詰問調に感じられ、そうなると周辺情報まで提供する余裕がなくなります。いっぽう、「中途終了型発話」で聞かれると、自然に会話の主導権を渡されることになります。すると、能動的に話すスタンスになるので、話したいことを話したいだけ話す自由度が生まれ、提供する情報がより多くなる傾向があります。

会話のリズムをよくする効果も

「中途終了型発話」を用いると、問いただす印象にならないという相手への配慮が表現されたり、より具体的なエピソードを引き出したりすることができるだけでなく、会話のリズムがよくなります。会話のリズムは、話を弾ませる重要な要素です。テレビやラジオなどのインタビュアーの音声も視聴者に届くメディアでは、質問内容を明確にするためにあまり「中途終了型発話」は用いられませんが、雑誌など活字メディアではかなりの頻度で用いられています。

どのようなときに中途終了型発話を使うか

どのようなときに「中途終了型発話」が使われているか、実際のインタビューの会話でみてみましょう。主に「あからさまに聞くのを避ける」「穏やかに答えを絞り込む」「一緒に考える」といった3つのシーンで多くみられます。

あからさまに聞くのを避ける

聞きたいことをそのまま言葉にすると、相手が気分を害するかもしれないときに、会話2、会話3のように最後まで言わずに相手に察してもらうような質問の仕方をします。どちらの会話もインタビュアーは相手の発言内容に同意しかね、会話2では異を唱え、会話3では疑問を呈しています。

【会話2】

翌日スポーツクラブに行くために、
前の晩に徹夜で仕事終わらせたりしていました。

すごいですね。
でも、それってかえって体に。
（負担がかかって健康によくない悪いのではないですか）

ER: インタビュアー　EE: インタビュイー

【会話3】

今、必要でないものはどんどん処分していきます。
物が少ないと頭の中もすっきりしますよ。

家も頭の中もすっきりですね。
もったいないとかは。（思わないのですか）

しかし、相手の発言を尊重していることも伝えたいので、はっきりとは言わない「中途終了型発話」を使っています。このように終わりまで言い切らないことで、相手を否定する印象が緩和されています。

緩やかに答えを絞り込む

漠然とした質問を投げかけて、インタビュイーが一番伝えたいことを引き出す際に「中途終了型発話」をストラテジーとして用いると述べましたが、その反対に、話の内容を予め絞り込むために用いることもあります。

雑誌の美容特集のインタビューでインタビュアーはこのように質問していました。

肌の悩みってありますか。日やけやシミが気になったり。

インタビュアーは「肌の悩み」があるかと質問したあとに、「日やけやシミ」と具体的な例を挙げています。なぜこのような質問の仕方をしたのでしょう。

実は、インタビュアーは記事のなかで紫外線のダメージについて触れたいと思っていました。そのためシミについて話してもらう必要があったのです。しかし、最初から「シミの悩みはありますか」と質問すると、肌の悩みを限定してしまうので、まず広く「肌の悩み」があるかないかを聞き、そのうえで例として「日やけやシミ」を挙げることで話題を緩和的に絞り込みました。その結果、「去年、子供と公園に行ったときに日焼けして、シミができてしまって困っている」という答えを得ました。もちろん、事前にSNSなどでインタビュイーの美容に関する情報を入手してあったので、「日やけやシミ」の悩みがあることは予想したうえでの聞き方です。

もし、「肌の悩みってありますか」としか言わなかった場合、シワなど他の悩みの話題になってしまい、どうやってシミの話にもっていくか、話を聞きながら困っていたかもしれません。

このようにあからさまに限定せずに聞きたい話へと誘導することで、より多くの情報を効率よく聞き出す手法として「中途終了型発話」が用いられます。

一緒に考える

インタビュイーが答えを考えて無言になったり、自分の考えをまとめあぐねたりすることがあります。そのようなときに、答えやすくなるように、相手の気持ちになって発想を広げたり、考えをまとめたりするのをサポートするのもインタビュアーの仕事です。このようなシーンでも「中途終了型発話」が用いられます。会話４では、それてしまった話を軌道修正しています。

【会話4】

紫外線対策は今までどうされていたんですか。

屋外スポーツ大好き少女だったので、小麦色もいいところでした。社会人になって周囲と肌の色がだいぶ違うなと薄々感じてはいたのですが。それでもスノボとかサーフィンとか、がんがんやってました。

日やけしていると思いつつ。

そうそう。わかっていながらやりたい放題。大人なのに遊びのほうに夢中になっちゃってたんですね。一応、メイクするときに日やけ止めは塗るのですが、あとはまったく気にせずでした。

ER: インタビュアー　EE: インタビュイー

インタビュイーは質問されたことに答える前に、まず、答えの前提である自分の趣味のことについて話し始めました。そして、質問された紫外線対策については答えずに自分のターンを終えました。そこで、インタビュアーは、相手が言おうとしていたであろうことを「中途終了型発話」で表し、本来の質問の答へと導きました。

もし、ここで「その時、紫外線対策はどうしていたんですか」「日やけ止めは使ってなかったんですか」と質問を重ねると「日やけ止めはつけていませんでした」という回答しか得られない可能性があります。しかし、インタビュアーが共感を示したためにインタビュイーは自然に話を続け、より詳細に話すことができたといえます。

WORK
08

どうする？
どう聞く？

以下のような聞きにくいことを聞くとき、あなたならどう言いますか。インタビュイーに不快な思いをさせないよう気を付けなければなりません。「中途終了型発話」を用いて質問してください。

① （頭を見て）かつらですか。

② その話は嘘ではないですか。

③ （ふくよかな人に対して）
そんなにおいしいものを食べてばかりいて、
体重は気になりませんか。

既に聞いたインタビュイーの話の内容を想定し、それをまず肯定して共感していることを伝えてください。そのあとに気になる点に触れるのが、ポイントです。聞きたいことを直接的に言葉にはしていませんが、質問の意図を察して答えてくれるでしょう（もちろん、はぐらかされる場合もあります。その時はそれ以上突っ込むのはやめておくのが無難です）。

Column

インタビュー裏話 7

合いの手を入れるだけで相手が答える

人に何かを聞くときに敬体（ですます調）で話す場合、語尾に「か」をつけて、かつ少し音を高めにするイメージがありませんか？「出身はどこですか↑」「その時、どう思いましたか↑」といった具合に（「か↑」は上昇調の「か」を表します）。しかし、活字メディアのインタビューでは、「か↑」はあまり使われていないのです。

自分が行ったインタビューの録音データ30分を観察してみたら、質問しているにもかかわらず、明確に語尾を上げて「か↑」と聞いているのは、なんと4回だけ。ちなみに、「か→」（平坦調）は1回、「か↓」（下降調）は2回でした。文末に「か」を使って質問したのは、すべての質問文のおよそ16％にすぎませんでした。

あまりに少なかったので「これは私の聞き方の癖なのかも」と思い、同僚のインタビューの録音データを借りて観察してみました。すると、なんと彼女の「か↑」は私よりも更に少なく、２回だけでした。

質問しているのに、なぜ「か↑」と言わないのか？　その理由を探りたいと思い、どのようなときに「か↑」と言っているのか、会話の前後をみてみました。すると、私も同僚のインタビュアーも、聞いても差し障りのないと思われる質問のときにだけ「か↑」を使っていました。「お住いはどちらですか↑」「スーツを着られることは多いんですか↑」といった気楽に聞くことができる質問です。

それに対して「か→」「か↓」は、失礼になりそうな質問やちょっと聞きにくい質問のときに出現していました。「あのー、それでもやっぱり、気にされてはいるんですか↓」「毎年、あの、献花されているんですか→」と、間や言い淀みも含め、申し訳なさそうに質問しています。上昇の幅が大きすぎると疑いの気持ちが強いようにも聞こえてしまうので（郡 2020)、「か」を使って質問したとしても、ちょっとだけ上昇する「か↑」だったり、「か→」や「か↓」にしたりしているんですね。

では、「か」をあまり使わないとなると、どういう聞き方をしているのでしょう。質問文をみると、最後まで言い終えない「中途終了型発話」が多用されていました。「なぜ、そのときそんなことを（したんですか)」「で、結局離婚ということに（なったんですか)」と、深刻な話やプライバシーを侵害しそうな話の時は、尻切れトンボで質問文を終わらせていました。つまり、相手を問い詰める印象にならないよう「か↑」で質問することを避けたと推測されます。ほかに、質問文の文末としては「ね」「よね」等もありましたが、「中途終了型発話」がもっとも多く、私が全質問の約50％、同僚が約60％でした。

さて、ここで新たな疑問が生じます。観察した録音データは、私と同僚のもので、共に女性です。もしかしたら女性特有の気遣いが発動して、そのような聞き方になっているということも考えられます。男性インタビュアーなら、「か↑」を躊躇せずに使い、ぐいぐい切り込んでいるのかもしれません。

この疑問を解明すべく、男性インタビュアーのインタビューに同席させてもらいました。彼は編集長の経験もある大ベテランです。果たして!?

とてもよいインタビューでした。離婚した理由やちょっと辛い仕事の現状など、かなり踏み込んだ事柄まで聞くことができました。

そして、肝心の聞き方です。30分の録音データを観察したところ、「か↑」は２回だけ、「か→」「か↓」は計3回と、私たちとほぼ同じような結果でした。「中途終了型発話」が多く出現したのも私たちと同じです。しかし、その言い方がかなり異なりました。彼のそれは「中途」どころか、カタコトの日本語のようなものです。例えば、「でも、その時は（そうするしかなかったのですか)」「それは、時代（の影響ですか)」といった調子です。まるで「合いの手」を入れているような。それが、また絶妙なのです。

「合いの手」が糸口となって、次から次へと話が引き出されてくるのを目の当たりで見て「さすが！」と思わずにはいられませんでした。

質問によって話を引き出すのではなく、「合いの手」で相手が自ら話すように促す――質問されたから答えるよりも、自ら積極的に話すほうが、その人らしさが表出するし、話の展開が面白くなるはずです。もちろん、インタビューの種類や誰に聞くかによって成果は変わりますが、「か」を使うどころか質問すらしないインタビュー、お見事でした。

第8章

ストラテジー／6
「常套句」「一般論」の回避
効率よく本音を引き出すには

正直に答えると誤解を招いたり、自分に不利益になりそうなことを聞かれたときは、答えをぼやかしたり、別のことにすり替えたりして、真実をありのままに話すのを避けるものです。例えば、仕事や勉強でよい成績を取り、人から「すごい、さぞかし努力したんでしょうね」と言われて「はい、すごく頑張ったので当たり前の結果です」とは言いません。「それほどでもないです」と謙遜しておきます。
誰でも「人からよく思われたい」「誤解されたくない」という気持ちがあります。インタビューでは、インタビュイーは自分に不利益になるようなことは常套句や一般論に置き換えて答えることがあります。しかし、それで記事を読む人が納得するわけがありません。かといって、質問を重ねていくのも手間がかかります。このようなとき初めから本音を引き出すストラテジーを用います。

欲しいのは とっておきの話

「社会言語学の父」といわれるウィリアム・ラボフ（William Labov）は、社会言語学の調査において、人は観察されていると自覚することで言語行動が変わると指摘しました（Labov 1973）。これは「観察者のパラドックス」と呼ばれます。インタビューにおいては、話す内容も変わってきます（大塚 2021）。

俳優やタレントなど著名人は、読者に好かれたい、よく思われたい、誤解されたくないと思い、本当は思っていないことを話したり、ファンの抱いているイメージを壊さないように、良い面だけを言葉にしたりすることがあります（イメージを壊さないことも仕事のうちなので、その人が嘘つきというわけではありません）。

しかし、読者にとって、より興味深いのはイメージ通りの表現や飾られた言葉ではなく、その人の意外な一面や本音です。インタビュアーは、まだメディアで語られたことのないエピソードやイメージを覆すような意外な話などを限りある時間（1時間程度）で引き出さなければなりません。もし、インタビュイーと親しい間柄ならば、友だちにしか話さないような本音を話してもらえることもあるかもしれませんが、それはほとんどなく、また、たとえインタビュアーと親しくてもインタビューである以上、その先に読者がいるので、「観察者のパラドックス」を排除することは難しいといえます。

では、インタビュアーは、どのようにしてインタビュイーから話を引き出すのでしょう。

常套句を封印する

インタビュアーが用いるのが、ありがちな決まり文句、すなわち「常套句の回避」というストラテジーです。

例えば、女優に肌のお手入れの秘訣を聞くインタビューで、美しさを維持するために、どんなことをしているのかを引き出す場合、常套句を回避するストラテジーを使わずに質問すると、たいてい以下のような答が返ってきます。

【会話1】

お肌がとてもきれいですよね。何か秘訣があるんですか。

ありがとうございます。
いえいえ、特別なことはしていないんですよ。

ER: インタビュアー　EE: インタビュイー

「特別なことはしていない」と答えたため、それ以上は聞きにくくなってしまいました。でも、本当に何もしていないのでしょうか。

女優やタレントなど“きれい”と言われる人たちにこのような質問をすると、謙遜する意識が働き、たいてい「特に何もしていない」と答えます。それは本当かというと、ほとんどの場合、そのようなことはなく、質問を重ねるうちに朝晩のお手入れを入念に行っていたり、化粧品にこだわりがあったり、また定期的に皮膚科に通っているなど、とても美容に気を使っていることが明らかになります。しかし、まずは「特に何もしていない」と答えます。これは肌を褒められたときの常套句のひとつです。

そんなはずはないだろうと思って質問を重ねていけば本当のところはわかってきますが、「特に何も」と言ったのに、それを疑うわけですから、失礼にならないよう質問するのに気を遣うし、時間の無駄です。

そこで、インタビュアーは、この常套句（＝言いそうなこと＝言ってほしくないこと）をあらかじめ織り込んだ質問することで、最初から本当のことを言ってもらうストラテジーを用います。それが相手の常套句を封印してしまう聞き方です。会話１に、このストラテジーを用いると、以下のようになります。

【会話2_ 常套句を封印して聞く】

お肌がとてもきれいですよね。
ずっと変わらずにきれいでいるのも才能だから、
特別なことはされていないんですよね、きっと。

いえいえ、肌が弱くてけっこう気を使ってるんですよ。

え、そうなんですか。
例えば、どんなことですか？

このように「特別なことはしていないんですよね」と聞くことで“本当のところ”を引き出します。この聞き方の場合、「才能だから」と褒めのニュアンスを加えているので、よけい「はい、していません」とは言いにくく、「いえいえ、肌が弱くてけっこう気を使っているんですよ」という答えになります。

一般論を封印する

女性誌で「年齢を重ねたことで生じる見た目の変化をどのように受け入れていくか」というテーマで各界の著名人にインタビューしたことがあります。多くの人に同じ質問をしました。すると、誰に聞いても判で押したように同じ答えが返ってくるのです。

女性としては、いつまでも若々しくありたい、というのが本音ですが、若く見えることに固執するのは潔ぎよくない、カッコ悪い、という風潮もあります。確かにいつもありのままの自分を肯定して堂々としていたほうがカッコいい印象があるかもしれません。でも、これはあくまでも一般論で、よく聞いてみると、その人自身は少しでも若々しく見えるよう心掛けているというのが本音、ということがほとんどでした。

典型的なやりとりが以下の会話です。

【会話3_ 一般論を封印せずに聞く】

どうやって年齢と向き合っていきたいと思いますか。

その年齢なりの美しさを重ねて受け入れたいですね。
シワは生きてきた年輪だと思って。

ER: インタビュアー　EE: インタビュイー

「その年齢なりの美しさ」というフレーズは、美容業界で多用されています。では、本当に自分の年齢なりの美しさで納得できるのかといえば、さらに質問を重ねるとそうではないことがわかってきます。以下は会話3の続きです。

【会話4_一般論を封印して聞く】

そう考えれば、増えてもぜんぜん気になりませんよね、シワなんて。

気にはなりますけどね。

1本あるとないで、まったく顔全体の印象が変わりますから、やっぱり見ちゃいますよね。

でも、まぁ、いざとなったら、今はシワなら注射で消えますから。

ここまで質問を重ねると、最初の「その年齢なりの美しさを重ねて受け入れたいですね。シワは生きてきた年輪だと思って」とは、かなり条件付きの発言であることがわかります。本当は少しでも若々しく見られたいのでしょう。そのための努力をしたうえで、今の自分を受け入れているということなのです。会話3の発言は嘘ではありませんが、そのまま受け取ることはできません。

最初から本音を引き出す

質問を重ねていけば、本音に迫ることはできますが、初めから本音を話してもらえれば、原稿には書かないやりとりを省くことができます。また、インタビューイーに失礼な印象を与えなければ、インタビューは効率よく行ったほうがテンポよく会話が進み、インタビューイーも話しやすくなります。たとえば、以下のように質問します。

【会話5_ 効率よく本音を引き出す】

どうやって年齢と向き合っていきたいと思いますか。シワができるのは当たり前。抵抗するのは不自然ことだから諦めて何もしない、という考え方もありますよね。

若さにしがみつくのは苦しいと思うけど、きれいでいるための努力はしていきたいと思う。今やプチ整形も一般的になってきたし、優秀な化粧品もあるし。

ありのままを受け入れるというのではなく？

不自然でない努力はしたいですね。

ER: インタビュアー　EE: インタビューイー

このように最初から、常套句や一般論を織り込んで質問してしまいます。これは、いきなり本音にアプローチする質問のストラテジーのひとつです。

知っている話を回避する工夫

質問に過去に語っていたことを織り込んでしまい、それを語ることを封印し、その先の新たな情報や詳細を効率よく引き出す質問の仕方もあります。

SNSやブログで得た情報を活用する

インタビュイーが著名人でないため、メディアから情報を得られない場合でも、SNSをチェックすると、どのような人か、どんなことに関心があって、どんな生活をしているのか、多少なりとも想像できる場合があります。

そこで、「インスタで〜〜とありましたが」などと引用して質問をすれば、そのことはもう知っているから話さなくていい、というサインが伝わり、その先の、より詳細な話や深い話を聞くことができます。

また、インタビュアーの質問の趣旨も伝わりやすくなるため、効率よく話が引き出せるのです。

過去の発言を封印する

次ページの会話6は、「どのように年齢を重ねていきたいか」という質問ですが、以前、別のメディアで語っていた「毎日を全力で生きてる」

という発言を引き合いにし、その延長でいうと「若々しさをキープするとか、あまり関係ないですよね」という聞き方をしました。この場合、ただ単に「若々しさをキープすることに関して、どう思いますか」とか「若々しさにこだわりますか」と質問すると、常套句や一般論が返ってくる場合もありますが、自分の発言を踏まえたうえで回答する必要があるので、より本音に迫ることができます。

【会話6_ 過去の発言を引き合いにして聞く】

どんなふうに年齢を重ねていきたいと思われますか。
以前、毎日を全力で生きてるとおっしゃっていた
記事を読んだことがありますが。

あ、はい、そうですね。いつ世の中の終わりが
来てもいいって思えるくらい悔いがない毎日を。

じゃあ、若々しさをキープするとか、
あまり関係ないですよね。

あ、それは話が別で、気にしてます、すっごく。
肌のお手入れと食べ物は、メイクやおしゃれよりも大事にしたい。そういう女性が素敵だなと思うんですよね。50代でも痛々しくない感じをキープしたいなって。そんなふうに生きていきたいかな。

ER: インタビュアー　EE: インタビュイー

インタビューイーの情報が事前にない場合

インタビュー前にまったく情報がない人の場合には「一般的には〜〜と言われていますが」のように質問をすれば、常套句や一般論を封印し、その先から話してもらうことができます。同時に、そのとき挙げたことが例となるので、質問の趣旨を明確に伝えることができます。

インタビューもコミュニケーションのひとつです。初対面であっても、質問に真摯に向き合うことで、インタビューイーは自分の内面と向き合うことになります。適切なストラテジーを用い、本音に迫るような質問を重ねていくことで、気分を害することなく「観察者のパラドックス」から逃れ、本音で質問に向き合うようになっていくケースは少なくありません。もちろん、インタビュアーが、真摯に相手と向き合うことが大前提であることは言うまでもありません。

WORK 09

どうする？
どう聞く？

「前提つきの質問をする」ストラテジーを用いて、以下について本音を効率よく引き出す質問文をつくってください。

① 人気Youtuberに貯金の総額を聞き出す

② いつもセンスよく服装をコーディネートしている友人に、カッコよく（可愛く）ファッションを決める秘訣を聞き出す

③ いつも試験で高得点を取る友だちに、秘訣を教えてもらう

インタビュー裏話 ⑧

うまくいったインタビューは原稿が書きにくい!?

インタビューは、その内容を雑誌の記事にするためのものですから、インタビュアーもインタビュイーもそれを前提に、仕事として話をします。とはいえ、会話コミュニケーションの場であることに違いはありません。

日常でも、阿吽(あうん)の呼吸で言いたいことが伝わり、話していてとても楽しいこともあれば、すぐに話が途切れて会話が弾まないこともあります。相手との親しさの度合いにもよりますが、相性もあるのではないでしょうか。インタビューでも、感覚や考え方が近いなど、共感し合える相手だということがわかると、安心して話をすることができるので話が弾みます。

あるミュージシャンにインタビューをしたときのことです。とても話が弾みました。こちらの質問に対する答えがたいへん共感できるものだったので、気の合う友人と話しているように楽しく、インタビュイーも自分の話に相手が共感していることがわかったのか（あいづちや答えに対する反応、表情や態度などでそれは伝わるものです）、わかりあえる相手と認識したようで、これまでマスコミには公表していない、とっておきの秘密まで、教えてくれました。

さて、ということは、このインタビューはよい記事になり、大成功だった！　のでしょうか——。残念なことに、そうとは言えないのです。

いくつか理由がありますが、第一に「とっておきの秘密」は、会話の流れの必然性から出てきたものですが、所属事務所から記事にするOKは出ませんでした。

たいてい雑誌のインタビューの記事は、印刷される前に出演者側に校正を送り、事実確認をしてもらいます。そのときに事務所の判断で「この話は世に出すべきでない」という箇所があれば「削除」を依頼されてしまいます。インタビューの際に、本人が確かに話したことなのに――残念です。

もちろん、著名人をネタとして扱う雑誌ならば、話は違ってきますが、雑誌の性格が異なり、インタビューの趣旨も別にあるので、削除を依頼され、話し合っても理解が得られない場合は、依頼に従います。

インタビュー中に意気投合し、初出の（まだ世に出ていない）話がたくさん出て、読者にとっても興味深い話を聞くことができた、と思ったときほど、そのようなことがしばしば起こります。

極端な例ですが、ほとんどのエピソードがNGとなり、書くことがなくなってしまって困り果てたこともあります。超がつく有名人だったので、事務所がそのタレントのイメージ戦略を厳密にしていたのですね。それ以来、あっと驚くようなエピソードが語られたときは、その場でマネージャーに、この話は記事にしてよいのかを確認することにしています。せっかく書いた原稿がボツになると、別のネタで埋めなければならず、あとで苦労するからです。

では、インタビュイーと意気投合し、マネージャーのダメ出しもなかったときは、さぞかし原稿もすらすらと書けるだろう……というと、そうでもありません。むしろ書きにくいことのほうが多いかもしれません。

というのは、意気投合するというのは「少ない言葉で分かり合えてしまう」ということでもあります。言葉の背景、言葉の裏に同じコンテクスト

（文脈、背景）を感じとることができるので、共感を得やすく、「話が早い」のです。そのためインタビュー中は、多くを語らずとも分かり合うことができて、とても心地よく会話を進めることができるのですが、そういうときほど原稿を書くのには慎重にならなければなりません。

インタビュアーとインタビュイーの間で言葉少なくして分かり合えたことが読者も理解するとは限らないので、言葉で説明する必要が出てくるからです。誤解のないように書こうとすると、けっこう難しいことがあるのです。

また、インタビューの際の楽しさや雰囲気をそのまま、同じテンションの記事に仕上げようとすると、なかなか納得できるものが書けません。

うまくいったインタビューほど、原稿を書く際にはプレッシャーが大きいのです。

第9章

ストラテジー／7

「質問上手」になる

話す必然性を生む

気心が知れた友人は別として、他人と話をすることに苦手意識を持っている人は多いのではないでしょうか。知らない人ばかりの集まりに一人で行って誰かと話さなければならないときなど、勇気を出して話しかけたのに、すぐに会話が途切れて気まずい思いをする、といったこともありがちです。

しかし、だからといって自分のことを「話し下手」だと思うのは早急に過ぎます。「会話が続かない」、「雑談が苦手」……それは、得意不得意や性格よりも、会話のスキルを知っているか否かによるところが大です。そして、会話のスキルを知っているのが「話し上手」と言われる人です。日常では無意識に使われていることの多い、「話し上手」な人が行っている会話スキルを、意図的に使っているのがインタビュアーです。

会話を盛り上げるスキルとは

「仕事の休みは何曜日？」「日曜日だよ」といった情報の断片や単純にyes、noをたずねるだけの場合を除き、たいていの日本語会話は相手とのやりとりがあって、ある話題についての話が完了します。さりげなく始まった会話も、何度かのやりとりで思いのほか盛り上がったり、意外な話を引き出せたりすることがあります。

ここで重要なのは、「面白い話をする」ことではなく、さりげない発言のなかに「質問ポイント」を探すということです。インタビュアーは、どのようにして、相手から話を引き出すのでしょう。

思いがけない話を引き出す

会話1は、Aさんが、Bさんはどのような休日を過ごしたのか知りたいと思って始めた会話です。相手が答えた内容に対して、質問(青文字)を重ねて会話を継続させています。

Bさんが「日曜日に友だちと映画を見に行ったが、喧嘩をしてしまい、誘ったことを後悔している」という思いがけない情報を獲得するのに、Aさんは、質問して得た答えの中から質問をつくる、という行為を重ねています。言い争いのテーマを聞くことができれば、話はさらに盛り上がるでしょう。しかし、Bさんが「映画を見に行っていました」と言ったあとにAさんが「そうですか」と言うだけで質問を重ねなければ、会話はそこで終了です。

【会話１】

Aさん：この前の日曜日、なにしてたんですか？

Bさん：映画を見に行ってました。

Aさん：そうですか。なんという映画ですか？

Bさん：「〇〇〇〇」です。ずっと観たかったんですが、
ようやく時間ができて。

Aさん：１人でですか？

Bさん：昔の友だちと行きました。

Aさん：面白かったですか？

Bさん：ええ、映画は予想以上でした。

Aさん：あの主演の俳優、いいですよね。
では、良い休日でしたね。

Bさん：ええ。ところが、映画のあと一緒に食事に行って、
そこで言い争いになってしまって。

Aさん：えー！

Bさん：せっかく久しぶりに会ったのに。
まだ仲直りしてなくて、参ってるんです。
一人で映画観に行けばよかったと後悔してるんです。

Aさん：えー、それは残念でしたね。
なんで言い争いになっちゃったんですか

もし、Ｂさんが話好きだったら、次ページの会話２のようになっていたかもしれません。聞いていればいいので助かります。一つ質問をすると、面白おかしく答えて会話を盛り上げる人のことを「話し上手」といいますが、インタビュイーがみな「話し上手」だったらインタビュアーは楽です。

【会話2】

Aさん： この前の日曜日、なにしてたんですか？

Bさん： 昔の友だちとずっと見たいと思ってた「○○○○」という映画を見に行きました。
映画はよかったんですが、そのあと一緒に食事に行ったら、言い争いになってしまって。まだ仲直りできてないんです。
一人で映画に行けばよかったと後悔してるんです。

Aさん： えー、それは残念でしたね。
なんで言い争いになっちゃったんですか

しかし、そのような人ばかりではなく、ほとんどの場合、会話が盛り上がるかどうかはインタビュアーにかかっています。そしてもちろん、インタビュアーが「話し上手」である必要はありません。

会話を盛り上げるのは「質問上手」な人

日本語会話は、「質問する側」と「答える側」に役割を明確に分けず、互いに相手の話を補完し合って話を完結する「共話」の形態をとります（第1章参照）。

「話し手」（答える側）は、「聞き手」（質問する側）の反応を見ながら話すので、聞く側の表情・態度、適切なあいづち、そして、質問によって、会話は進行していきます。つまり、会話を盛り上げるのは話す側よりも「質問する側」の役割のほうが大きいといえます。相手の話に耳を傾け、会話をリードし、相手が積極的に話をするよう促しているのです。

会話を盛り上げるために「話し上手」である必要はありません。たくさん質問をして、相手にたくさん話をさせる「聞き上手」＝「質問上手」であることが重要です。それを行っているのがインタビュアーです。

第三者の視点で会話をする

第1章で、より多くの情報を獲得するために、インタビューでは一問一答ではなく、追加・発展の質問が重要であると述べました。これは、会話の当事者だけでなく、その場にいない人（読者）にも話の内容を正確に、かつわかりやすく伝えるためにも重要です。

会話の当事者間では、表情や態度、声の調子といった非言語情報やその場の雰囲気も関与しているので細かい不確実性は気になりません。しかし、その場にいない人には話の内容が正確に伝わらないことがあります。より正確に状況を理解し、発言の真意をわかってもらうために、言葉で表現してもらわなければならず、そのための質問が必要になります。

非言語情報を言葉にするための質問をする

友人との日常会話のような気軽さでインタビューが進行したら、さぞかし会話は弾むことでしょう。しかし、気の合う者同士で話したときに起こりがちなのが、暗黙の了解や顔の表情、動作、目配せなどの非言語情報でなんとなく通じ合ってしまうことです。言葉を介さずに言いたいことがわかってしまったときは、あとで原稿にするときに困ります。言うまでもなく、インタビューにおける会話は記事にして第三者である読者に伝えることを目的に行われるものです。

話している当事者だけがわかり合っても読者に伝わりません。インタビュイーが発信したことは、言葉で表現されていなければ文章にはできないのです。語られていない部分を地の文で補足する方法もありますが、多用するとインタビュー記事としての面白味に欠けてしまいます。

インタビュアーは、原稿を書く際にどのように表現するかを意識しながら会話をリードしなければなりません。そのために以下のことを心がけましょう。

詳細に・具体的に聞く

インタビュイーが伝えたいことを正確に、かつ誤解のないように記事にするには、話を詳細に、かつ具体的に聞いておく必要があります。

たとえば前出の会話2は、インタビュイーにとっては「面白い映画を観た」喜びよりも、「大切な友だちと喧嘩をしてしまい、落ち込んでいる。どうしよう」という悩みのほうが重大だったのかもしれません。記事でそのことに触れるならば「昔の友だち」とは「どんな友だち」なのかが重要になってきます。「中学の同級生」、「高校時代のバイト仲間」など「昔」が示すことを明確にし、「中学のときからの親友」「高校時代に辛かったバイトを一緒に乗り越えた仲間」など関係性まで明らかにすれば、「大切な友だちと喧嘩をしてしまって」どんなに後悔しているかイメージが広がりやすくなります。喧嘩の理由も差し支えのない範囲で聞いておきます。

記事を書く段階になって「もっと詳しく聞いておけばよかった」と後悔することにならないよう、どのエピソードを使い、どんな記事を書くかを想像しながら質問を重ね、具体例や詳しい説明を獲得しておきましょう。

勝手な解釈をしない

インタビュイーの話の内容に不明なところがあった場合は、聞き直します。たぶんこういうことではないかと推測できたとしても、その理解でよいかどうかを確認します。前出の会話で「昔の友だちといってたけれど、話の雰囲気から、きっと学生時代の友だちだろう」と相手に確認せずに書くべきではありません。勝手な推測や想像で記事を書くのは捏造になります。

読者が読みながら違和感をもったり、疑問に思ったりすることのないように、さらには誤解を招かないためにも、曖昧なことをそのままに終わらせず、しっかり確認します。

詳しく話す必然性を生じさせる

インタビューでは詳細を聞いているうちに、実は相手が本当に言いたいことは別のことだとわかったり、話が思いもよらない方面に展開し、最初の質問とはまったく別の興味深いことが明らかになってきたりすることがあります。そのようなことが起こる理由、そして、それらを引き出すためのストラテジーについて述べます。

潜在意識を引き出す

質問に答えるうちに、インタビュイー自身が気づいていなかった潜在意識が明らかになることがあります。日常でも、人と話すことで考えがまとまったり、自分の中に眠っていた自分の新たな一面に気づいたりすることがよくあるでしょう。そのようなことがインタビューにおいても起こります。理性的に判断して出てきた発言よりも、掘り起こされたばかりの新鮮で、まだ誰も知らないことのほうが、記事にする価値が高いのはいうまでもありません。

本人さえ意識していないことですから、それに気づかせ、言葉にして引き出せるかどうかは、インタビュアーの腕、すなわち、どのように追加・発展の質問をするかにかかっています。

そのようなインタビューをするために、インタビュアーが用いるストラテジーのひとつが、「あえて発言を疑う」です。

あえて発言を疑う

時事問題や芸能スキャンダルを取りあげる雑誌では、意図的に相手を怒らせたり、平常心ではいられなくなるような質問をしたりするシーンがよくあります。相手を挑発することで発言を促し、情報を引き出すのです。それもまた、インタビューのストラテジーのひとつです。

【会話3】

あの美白クリーム、本当にシミに効いていまして。本当に薄くなってきてるんです。いろんなのを使ってきたんですが、即効性のあるものはなかったので、びっくりしました。

そんなに効くものなんですか。

ニキビの跡のシミって、なかなか消えないじゃないですか。こんなに効果が急にあったのは本当に初めてです。

シミってどこにあったんですか。

ここの、目の下のところ。ちっちゃいホクロにしか見えないですけど。

最初から、あまり大きくなかったとか？

いえいえ。朝晩、欠かさず塗っていたら、こんなに小さく薄くなったんです。このまま使い続けていたらなくなるんじゃないかと思うくらい。

ER: インタビュアー　EE: インタビュイー

本書で取り上げているインタビューは、そのようなタイプのインタビューではありませんが、時には相手を刺激するような質問をすることがあります。相手の発話内容に疑いや否定などを投げかけ、話を引き出すのです。

前ページの会話3は、インタビュイーの発言に対して、「そんなはずはないだろう」という疑いをかけた例です。美白化粧品を使って効果を感じたというインタビュイーに対して、インタビュアーは、何度も疑いを向けています。美白化粧品でシミが薄くなったという発言に対し、インタビュアーは「そんなに効くものなんですか」と驚きながら疑い、さらに、「あまり大きくなかったから薄くなっただけで大げさではないか」と、さらに疑っています。

インタビュアーは相手が嘘を言っているわけではないことは承知しています。しかし、あえて疑いを向けることで、具体的な話を引き出そうとしているのです。インタビュイーは、どんなシミが（消えにくいニキビ跡のシミが）、その化粧品をどのように使い（朝晩欠かさず塗る）、どれほど薄くなったか（小さいホクロ程度）、と詳細を述べることになりました。

次の会話4も「常識的には考えられないが本当か」と疑いを提示することで、より多くの情報を獲得した例です。

25歳まで化粧をしたことがなかったというインタビュイーの発話を受け、インタビュアーは「まったくしなかったのか」という驚きを示し、さらに、「ぜんぜん」というのはオーバーで「口紅ぐらいは」していたのではないかと質問を重ねました。その結果、「おしゃれっぽいことに興味がなかった」「ずぼら」「自分に興味がなかったのかもしれない」というインタビュイーの新しい情報や、「正真正銘のすっぴん」というユニークな表現を引き出すことができました。

【会話4】

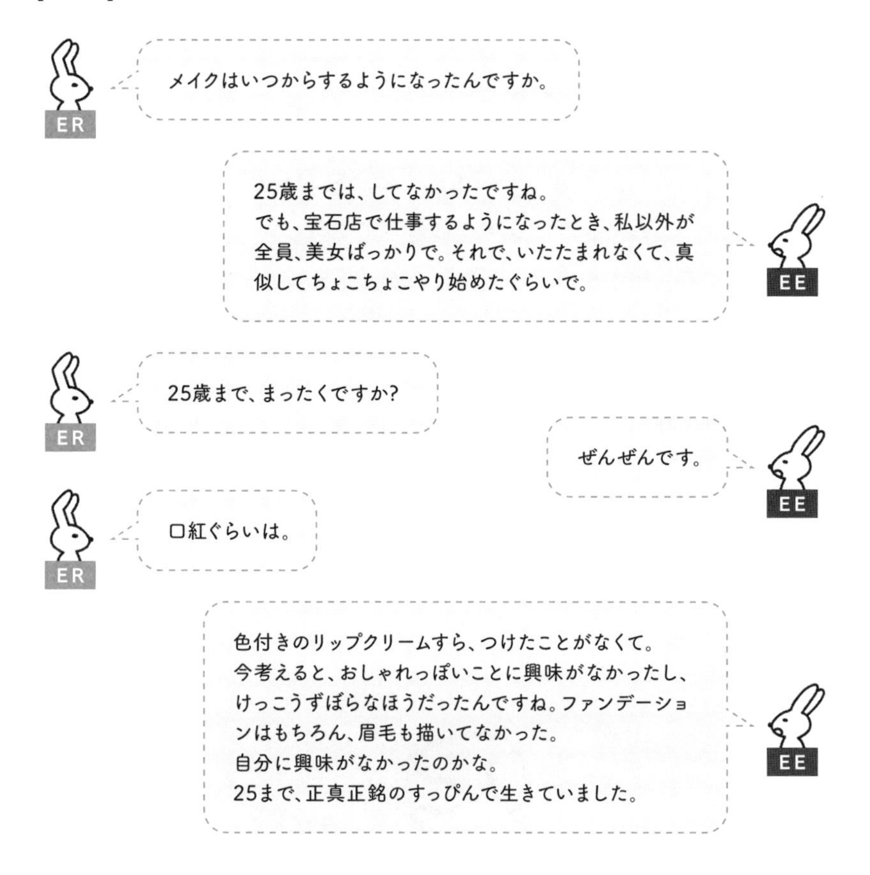

ER: インタビュアー　EE: インタビュイー

いきいきとした表現を引き出す

会話3、4でわかるように、発言を疑われると、嘘でないことを主張するために、より詳細に、具体的に話す必要性が生じます。その結果、説得力のある話が得られます。

単に「メイクをするようになったのは25歳を過ぎてからだ」と、「ずっとメイクに興味がなかった。ずぼらなこともあって25歳まで眉も描かず、口紅すら使わなかった。正真正銘のすっぴんで生きてきた」とでは、後者のほうが、より鮮やかに人物像が浮かび上がります。

インタビュアーは、「あえて発言を疑う」ストラテジーを用いる際に、本当に疑っているわけではありません。

疑いをかければ、インタビュイーは能動的に話す、ということを知っていて、疑いの体裁をとっているのです。疑われたほうも、「せっかく話したのに、このインタビュアーは信じてくれない」と怒ったりはしません。むしろ、相手が自分の話をにわかに信じがたいと思ったほど関心をもってくれたと感じ、その後、より多くの情報を提供してくれるはずです。

相手との阿吽の呼吸で意志の疎通が図られ、面白い話が飛び出すのも、インタビューの醍醐味のひとつです。

WORK 10

どうする？
どう聞く？

**疑いの質問で相手が気分を害するのは
どんなときだと思いますか。**

インタビュー裏話 ⑨

質問する力は人を楽しい気持ちにさせる

ある女優にインタビューしたときのことです。彼女は長年、バラエティ番組の司会もしているのですが、その仕切りには定評があり、彼女も番組も人気がありました。あるとき、仕事の手腕を通じて、彼女の人間性に迫るという誌面企画があり、インタビューを行いました。

「どんなことを念頭に司会をされているのですか。台本があって、収録後に編集もされるとはいえ、アドリブもあるだろうし、ひな壇にいる大勢の芸人の面白さを引き出しながら進行していくのは、簡単じゃないですよね、秘訣はありますか」と聞くと、こんなエピソードを話してくれました。

「A君（中堅のお笑いタレント）がね、司会の仕事をするときに、ひな壇にいる芸人の面白さを引き出せないって悩んでいて、Xさん（大御所のタレント）に相談したんだって。『僕、どうしたら面白くできますか』って。そうしたら、Xさんが言ったの。『面白くしようとするもんじゃないんだよ。優しくするんだよ。みんなを優しい目で見ていれば、その人が何を話したがっているかわかるから、話させてあげればいいだけなんだよ』って言われたんだって」

Xさんの名前をここで挙げられないのは残念ですが、誰でも知っている大ベテランです。確かに、彼が司会をしている番組は、心地よく笑えます。どうしたらそんな雰囲気になるのでしょう。

面白くしようとするのではなく、人に優しくする――？　どういうことだと思いますか、と聞いてみました。すると、彼女は、その言葉をこんなふうに解釈している、と言いました。

「そこにいる人のいいところを見つけること。その場を楽しくするためには、まず人を肯定的に観察する、っていうことなんじゃないかな」

なるほど、です。これは収録現場だけでなく、人から話を引き出すインタビューにも言えることのような気がしました。好きになった人のことは、たくさん知りたくなります。嫌いな人には興味がわかないので、特にその人のことを深く知りたいとも思わないものです。

インタビュー前には、インタビュイーについていろいろと調べ、情報を集めます。相手を肯定的に見れば興味がわいてきて情報を集めたくなるし、調べているうちに、もっと知りたくなる。「この人は、この時どんなことを思って行動したんだろう」「この人なら、このことをどう思うだろう」。次々と聞きたいことが湧いてきます。

政治・経済の問題を明らかにしたり、スキャンダルを暴いたりすることが目的のインタビューでは、敵対する立場で質問しているように思えます。しかし、相手を肯定的に観察したインタビューでは、その人の魅力が引き出されるのだと思います。

ひな壇にいる芸人の誰にどんな話をふったらいいか、今誰がどんなふうに思っているかは、芸人たちを優しい目で、よく観察していれば見えてくる。否定的にみていると、その人から入ってくる情報は限定されてしまう。そうしたら、どんなふうに話しかけていいのかわからないのは当然です。

このエピソードを聞いて以来、彼女は仕事でもプライベートでも、人を優しい目で見ることにしているそうです。

第10章

ストラテジー／8

あえて反論する

より多くの情報を効率よく引き出す

自分が言ったことに対して「それは違う」と相手に反論をされたときにどのように言い返しますか。相手にわかってもらうために根拠や理由などを挙げ、言葉を尽くすのではないでしょうか。その際には、相手が最初から納得していたら、話さなかったようなことも口にします。すなわち、より多くの情報を相手に提供することになるのです。友人との会話や議論の場で行われているこのようなやりとりを、インタビュアーはより多くの情報を相手から引き出すためのストラテジーとして使っています。

言い返すときに情報を付け加える

第9章で、「あえて発言を疑う」ことによってインタビュイーを刺激し、より説得力のある話や表現を引き出したり、本人さえ自覚していなかった本音を引き出したりするストラテジーについて述べました。本章の「あえて反論する」ストラテジーは、同様に「反論されて言い返すときに情報を付け加える」反応をインタビューに取り入れたものです。インタビュイーの発言をよりわかりやすくしたり、裏付けや真意、詳細を引き出したりするために用いられます。

反論されるほど強く主張したくなる

友人など親しい人との間では、このストラテジーは次ページの会話1のように使われます。

Aさんは「1カ月で4キロ太った」と言ったところ、Bさんから「4キロはあり得ない」と反論されました。そこで、「毎日体重を計って記録している」と根拠を挙げたのですが、さらに「体重計が壊れているのではないか」「4キロは大袈裟では」と反論されました。そこで、「パンツのジッパーが上がらなくなった」「毎日、夜食にラーメンを食べていた」と説得力のある情報をBさんに提供しました。

自分の言ったことに対して「本当に？」と疑問を投げかけられるよりも、「あり得ない！」と反論されるほうが、言い返すのにエネルギーを使います。つまり、「そんなに太ったようには見えないけど」と疑われるよりも、「あり得ない」と反論されるほうが、より強く言い返したくなるのです。そして、発言が嘘でないことを主張するために、より多くの情報を提供することになります。

【会話 1_ あえて反論する】

Aさん：どうしよう、1カ月で4キロも太っちゃった。

Bさん：ええ!?　短期間でそんなに太るわけないでしょ。
1ヶ月で4キロなんてあり得ないよ。

Aさん：本当だよ。
毎日、体重を計ってノートに記録してるもん。

Bさん：じゃ、体重計が壊れてるとか。

Aさん：それはない。家族も使ってるけど何も言ってないし。
その証拠に先月まで、ふつうに履けてたパンツのジッパーが上がらなくなった。

Bさん：えー、そうなの。
それにしたって4キロは大袈裟じゃない？

Aさん：毎日、夜食にラーメン食べてたら、そうなるでしょ。

Bさん：ああ、それじゃあ確かに4キロいくわ。

どのようなときに反論するのが有効か

インタビューでは、本当にインタビュイーの発言を信じられなくて反論するわけではありません。インタビュイーの言ったことを誤解なく、わかりやすく伝えるために、このストラテジーを用います。

どのようなときに反論のストラテジーが有効に使われているのかみていきます。

発言内容が一般的な考えと異なるとき

インタビュイーと読み手との距離があり過ぎる場合、すなわち、インタビュイーが読者の想像し得る発想とはるかにかけ離れた考えをもっていたら、話したとおりに原稿にしたのでは読者に伝わりません。そのようなときに、読み手が理解しやすいよう、詳細や具体例を聞き出したり、一般的な表現に言い換えてもらったり、また、わかりやすい説明を加えたりするために反論のストラテジーが用いられます。右ページは、インタビュイーがユニークな持論を展開した際のやりとりです。

【会話2_ あえて反論する】

人に幸せにしてもらうのを
待っている人っていますよね。

待つタイプの人っているんだけど、その前に、
そもそも人を幸せにしてあげるっていう考え方
が嫌い。
まずは自分でしょ。まずは自分で自分をハッピ
ーにして、次に他人でしょ。

自分は犠牲になってでも、人を幸せに
したいと思うのって尊敬できる態度って
思われていますよね、一般的には。

いいえ。まず自分から、です。
助けるのと幸せにするのとは違う。
勇気がいることですが、誰かに幸せに
して欲しいという思いは捨てるべきです。

身近な人が幸せであってこそ自分も幸せに
なれるんだから、まず人の幸せを願うべきだ
という考え方が一般的だと思うんですが。

でも、自分で自分をハッピーにできない人が、
人を幸せになんかできませんよ。
最終的にハッピーになれるのは、幸不幸を
他人任せにしない、自立している人ですよ。

ER: インタビュアー　EE: インタビュイー

一般的には「自分のことばかり考えず、周囲の人が幸せであってこそ、自分も幸せになれる」という考え方が受け入れられていますが、インタビュアーは、「まず自分からだ」と述べています。インタビュイーが言いたいのは「幸せになりたいなら、人に期待するのではなく、自分で行動するべきだ」ということが、それまでの会話からインタビュアーにはわかっていますが、「そもそも人を幸せにしてあげるっていう考え方が嫌い。まずは自分でしょ。まずは自分で自分をハッピーにして、次に他人でしょ」という言い方では真意は伝わらず、単に利己的なだけだと印象づけられてしまう恐れがあります。

この発言をインタビュイーの意図通りに伝えるためには、なぜ「最初に自分」なのかを、ていねいに説明する必要があると考え、インタビュアーは一般論をインタビュイーの発言への反論として用いました。そして、「人生を他人任せにしない、自立した人になるべきである」という、「最初は自分から」という発言の前提を引き出したのです。これらの言葉があれば、なぜ「最初は自分から」なのかがわかりやすくなります。読者も理由に納得すれば、新しい考え方として受け止めることができます。共感できないとしても、考え方のひとつとして理解することはできるはずです。

インタビュイーと読者を繋ぐ

このように、インタビュアーが読者の立場になってインタビュイーの発言を受け取り、「一般的に言われていることと違う」と反論して説明を求めることで、読者はインタビュイーの発言に共感したり、真意を理解したりすることに繋がっていきます。

発言がわかりにくいとき

インタビュイーの発言が伝わりにくい場合以外でも、反論のストラテジーを使った質問をすることがあります。インタビュイーの話の内容ではなく、表現がわかりにくいときです。そのようなときに、インタビュアーは別の表現や詳細などを引き出すために、反論のかたちで質問をすることがあります。以下はその例です。

【会話3_ あえて反論する】

家にいるときに心がけていることってありますか。

自分に手を抜かない、ですかね。油断すると、
どんどん、どうでもよくなってしまうんで。
イタくない程度に頑張りたいなと。

えー、全力で頑張ったらダメなんですか。

家に一人でいるのに服装をキメキメにしていたら、
何アピールって思いませんか。誰も見てないのに
気取ってるのって自分に酔ってる感じ。

ああ、それがイタいっていうことなんですね。
必要以上に頑張らないっていうことですね。

ER: インタビュアー
EE: インタビュイー

インタビュイーの「イタくない程度に頑張りたい」という発言は、意味がよくわかりません。そこで、インタビュアーは、「全力で頑張ったらダメなんですか」と反論しました。すると、インタビュイーは服装を例に挙げ、家にいて誰が見ているわけでもないのに、すごく頑張って服装に気を遣うのは、自分に酔っている感じで痛々しく見えることだと説明をしました。その結果、ようやく何を言おうとしているのかがわかりました。

反論することで理解している姿勢を見せる

ここでは反論のストラテジーを使わずに、ストレートに「イタくない程度に頑張るって、どういうことですか」と聞くこともできます。しかし、それでは「あなたの言っていることが理解できないのですが」と言っているのと同じです。日常でも、会話が弾んでいるときに「今言ったことの意味がわからない」と言われたら興ざめしてしまうでしょう。インタビューの場合は、理解力のないインタビュアーだと思われかねません。むしろ、反論のスタイルをとったほうが、会話の流れを止めることなく、自然な流れで会話を進めることができます。

失敗しない
反論の仕方

反論することは、いわば相手の意見に異を唱えることです。言い方、受け取り方によっては、相手が気分を害する可能性もあります（社会問題やスキャンダルを追求する報道などでは、相手を意図的に怒らせて反応をみるインタビューもあります）。

良好な関係性を維持しながら会話を刺激するためのストラテジーとして「あえて反論する」ストラテジーを用いる際には、表現の仕方を工夫することでリスクを軽減できます。どのようにすれば失敗がないか知っておきましょう。

一般論や特定の説を引き合いにする

インタビュアーは、相手が間違っているので反論し、自分の意見を主張するわけではありません。

記事のなかではインタビュイーが主役で、読者が知りたいのはインタビュイーについてです。インタビュアーは話を引き出すための“透明な存在”で、個人的な意見や考えを主張する立場にありません（インタビュアー自身が著名人で、その人が誰かに話しを聞くという記事もありますが、その場合のストラテジーはまた異なるので、本書では割愛します）。

インタビュアーは、反論のストラテジーを使う際に、自分の意見はさておき、「世間ではこのようなことが一般的なので聞きますが」あるいは「世間一般の常識と違って、驚いたのでうかがいたいのですが」といったニュアンスが伝わるように話すことで、自分が反論しているわけではないことをアピールします。

中途終了型発話で話す

そのような聞き方をするときに表現形式として便利なのが、世間や一般的に言われていることを引き合いに出し、「中途終了型発話」で聞く方法です。第7章で述べたように、言いにくいことや質問しにくいことを話すときに、終わりまで完全に言わず、語尾を省略したり、濁したりする話し方です。相手が気を悪くすることが予想されるときには、断定せずに語尾を濁し、曖昧にするのがひとつの手です。

例えば、以下のような質問の仕方をすれば、自分の意見として反論しているわけではないことが伝わります。

【中途終了の発言例】

世間では～～というのが常識ですが。
～～と言っている人もいますが。
普通は～～と言われていると思うのですが。
一般的には～～と言われていますが。

反論するのは気の引けることがありますが、話を聞きながら「え、でも……」と思ったら、自分の意見としてではなく、読者を代表する気持ちになって質問してみましょう。インタビュイーは別の表現を使ったり、例を上げたりして、答えてくれるはずです。

反論することで得られる成果

「あえて反論する」ストラテジーは、その発言の裏付けや真意、詳細を引き出すために用いられます。討論や会議なら、反論は自分の意見を主張するためにしますが、インタビューにおけるインタビュアーによる反論は、話を引き出すための「刺激」として用いられます。ふつうに質問するよりも強めの「刺激」となる「反論」のストラテジーは、インタビューで以下のような役割を果たします。

❶相手の気分を害さずに発言に異を唱えることができる
❷ユニークでわかりにくい発言を一般的、常識的な見解を引き合いにすることでわかりやすくする
❸伝わりにくい話が、表現を変えることで共感できる話に変換される
❹具体的で説得力のある話が引き出される
❺その人らしいエピソードがより多く引き出される

適切な反論の仕方をすれば、相手は不愉快になることはなく、むしろ、能動的に言葉を尽くして説明してくれるはずです。

どうする？
どう聞く？

インタビュイーを不愉快にさせない反論の質問をし、詳細や具体的な内容を引き出す練習です。以下のインタビュイーの発言に、反論形式の質問をつくってください。

①

ダイエット中は運動もだけど、食事の内容が一番大事。
私は朝晩、パンやご飯をちゃんと食べますよ。

②

今日も一日、無駄に過ごしちゃったって思うことあるんですよ。
そういう日が続くと自分で自分が嫌になってくる。
なのに、やる気が出ない。
そういうときはね、何日でもダラダラして過ごしてみるんですよ。

③

下ばかり見て歩いていることがあるんですよ。
気力が充実しているときに限って。

インタビュー裏話 ⑩

インタビューで自分の世界が広がる！

誰かにインタビューをすると、本を1冊読み終わったかのような感覚があります。インタビューの所用時間は1時間から長くても2時間。しかも、誌面の趣旨に沿った質問をし、それに対する答えを聞いているので、その人のすべてがわかるわけではありません。

それでも、短時間の会話のなかで、その人が経験したことや感じたことを同じように感じ、過去のある時間を一緒に歩んだような気持ちになるのです。

もちろん、初対面で、その人のことがわかったつもりになるのは早急過ぎるし、傲慢です。どんなに親密に、何年付き合ってさえ、他人の本当の考えや気持ちを完璧にわかるとはいえないのですから。

では、なぜ、そんな気持ちになるのでしょう。

小説を読んでいるとき、登場人物の誰かに感情移入したり、自己投影したりしながら読んでいませんか。登場人物に共感することはなく、ストーリーや状況の展開を客観的に楽しむ読み方もあります。

本の読み方に正解はありませんが、どんな読み方をするときでも、本と向かい合うときには、想像力を働かせているはずです。人物像やシチュエーション、ストーリーの展開などについて、文字情報からイメージを膨らませて読んでいるのではないでしょうか。

インタビューの際に、最も重要だと思うのは想像力です。

「あの人だったら、この問いに答えてくれるはずだ」「この件については気を悪くするかもしれないから、こういう聞き方にしよう」「これは本心から言っているのか？」etc.……。質問の内容を考えるときや聞く順番を決めるときはもちろん、「快く答えてもらうにはどんな聞き方がいいか」「この人はいま何を話したいんだろう？」「もうひとつ突っ込んだ質問をしても大丈夫かも？」……こんなふうにずっと想像を巡らせながら質問をしたり、答えに耳を傾けたりしているのです（インタビューの仕事を始めたばかりの頃は著名人を前に緊張のあまり、事前に考えた質問を順番にするのが精いっぱいで、相手の様子や自分の作戦などは何も考えられませんでしたが)。

質問に対する答えが返ってくると、「ああ、この人はこういう人なんだ」とだんだん人物像が明らかになってきます。質問に対する答えだけでなく、何気ない態度やしぐさ、声のトーン、さらにはスタジオに現れたときの挨拶の仕方や服装、マネージャーに対する態度などからも、それは浮き彫りにされていきます。もちろん、じろじろと見るわけではありません。ほとんど自分でも無意識のうちに耳から、目から、さまざまな情報を集めて、自分の中でのインタビュイーの人物像を想像してつくりあげていきます。そして、それはインタビューに必要なことでもあります。

たとえば、とても几帳面に初対面の挨拶をしたら、「あ、きちんとした人なんだな。こちらもそうしよう」「テレビで見るより気さくな感じ！突っ込んだ話をしても大丈夫かも」「なんだか不機嫌そうだから、テンション低めでいこう」etc.……。

観察することによって集めた情報から、さまざまなことを想像して、その場の雰囲気を作ったり、質問を修正したりしていきます。人物像がはっきりしてくると、質問もしやすくなってきます。

こんなふうにインタビュイーに集中して想像をたくましくしながら話を聞いていると、「へえ、こんなふうに考えるんだ」「さすが、やっぱり違うなあ」「そんなこと思ってもいなかった」などとインタビュアーである私の心も刺激を受け、動きます。そして、自分には今までなかった発想や考え方に触れ、自分の世界が少し拡大します。同時に頭のなかには、新しい〝引き出し〟がひとつ増えます。

世界が広がったり、引き出しが増えたりするのは、楽しいものです。そして、そのときにワクワクするだけでなく、別の機会に未知の人や物事に出会ったときに、それを受け入れ、理解するための助けになります。少しでも知っていることがあれば、まったく知らないことでもリンクしやすいからです。そうしているうちに雪だるま式に世界が広がり、さらに引き出しが増えていきます。

読書も同じではないでしょうか。これが、インタビューをすると、1冊本を読んだのと同じ感覚になる理由です。

想像力を働かせれば、初対面の人と話すときでも、聞いてみたいことが浮かんできます。質問を重ねているうちに、相手のイメージがかたまってくるので、どんなふうに聞いたらよいかわかってきます。知らない人と話すのを怖がらずに挑戦してみてください。私も知らない人と話すのは恥ずかしい、面倒くさいと思うタイプでしたが、仕事として経験を積むうちに、楽しみになってきました。インタビューのストラテジーは、日常の会話コミュニケーションにも役立ちます。

第11章

ストラテジー／9

インタビュアーの「自己開示」

自分のことを話すと相手も話す

私たちは周囲にいる人たちとさまざまな情報を交換し合い、関係を育んでいます。交換し合う情報は、日常のちょっとした出来事や趣味、仕事にまつわること、人間関係の悩みなどさまざまです。親友には他の人には知られたくない打ち明け話もします。自分のプライベートな情報を人にオープンにすることを「自己開示」といい、良好な人間関係を構築するのには欠かせないものとされています。

インタビューの場においてインタビュアーが自分について語る必要性はありませんが、相手から話を引き出すために、あえて自分の考えや経験を話すことがあります。これは聞きにくい話題について話してもらう際に用いる「インタビュアーの自己開示」というストラテジーです。

人間関係の構築に欠かせない「自己開示」

初対面の人に、大好きだからとマンガについてどんなに熱弁をふるわれても、自分がマンガに興味がなければ話は盛り上がらず、いっこうに互いの距離は縮まりません。「自分はこういう人間で、こういうことを考えている、こういうことに興味がある」と自分についての情報をあらかじめ伝えていたら、すなわちあるていど自己開示しておいたら、相手は話の糸口が摑みやすくなります。会話によって互いの距離を縮める近道になるでしょう。反対に、全く自己開示がなければ会話は慎重になり、距離を縮めるのに時間を要します。

初対面の人にもあるていど自己開示はしますが、深刻な内容になるほど、「この人ならわかってもらえる」もしくは「信用できる」というように話す相手を選びます。付き合いが長い友だちと話が弾むのは、相手のことをよく知っているので警戒せずに話せることが大きな理由です。自己開示は相手の警戒心をとき（初対面で唐突に、深刻な話を打ち明けたら逆に警戒されますが）、スムーズなコミュニケーションを成立させるのに大いに役立ちます。

「とっておきの話」が心の距離を縮める

互いのことを知らない初対面では、打ち解けて話せないのかというと、そうとも限りません。互いに早めに自己開示を行えば、急速に心の距離が縮まることもあります。出身地、趣味、興味のあることなどを積極的に開示し合えば、「あのゲームが好きで、徹夜しちゃったんだ」「自分もそれにハマってる！」など、共通の話題が見つかる可能性が高くなります。そうなれば、互いに相手がどんな人かイメージが摑みやすくなるのでいっきに打ち解け、ほかの話題もスムーズに展開するはずです。

また、誰にでも明かすわけではない「とっておき」の話を開示するのも、互いの距離を縮めるのに有効です。たとえば、失恋や仕事での失敗など、誰にでも話すわけではないことを打ち明けると、話されたほうは「そんなことを話すほど自分を信頼してくれているのだ」と思います。そして、そこまで話してくれるなら、と自分も「とっておき」の打ち明け話をしてもいいかなと思い始めます。それを積み重ねるうちに、表層ではなく、相手の心に深く入っていく話ができる関係性を築くことができます。もちろん、このような関係性を構築するためには、話す内容に嘘偽りがなく、誠実に伝えるのが基本です。

インタビュアーの自己開示とは

以上は、日常で起こりうるコミュニケーションでの話ですが、インタビューの際に、インタビュイーはずっと自己開示をしていることになります。そもそもインタビュイーは、自分のことを知って欲しいと思うからインタビューに臨み、積極的に自己開示を行います。しかし、自分のことをどこまで“深く”開示するかは、個人差があり、また、その場の状況やインタビュアーの質問の仕方にもよります。

インタビュアーは、なるべく深いレベルまで自己開示してもらいたいと思い、そのためにさまざまなストラテジーを駆使しますが、そのひとつとして「インタビュアーの自己開示」があります。

本来、インタビュアーはインタビュイーの話を引き出すために存在するので、自分の考えや自分自身について話す必要はありません。インタビュイーも、よほど気が合った場合を除いて、インタビュアーに特別な興味を持つことはないでしょう。では、なぜ、どんな時にインタビュアーは自己開示をするのでしょう。

自己開示には「返報性（へんぽう）」がある

自己開示には、その受け手が同じ程度の深さの自己開示を送り手に返すという現象（＝「返報性」）があるといわれています（安藤 1986）。

それほど親しくもない友人と会話をしていて、自分がプライベートなことを話したら、相手も「実は私も」と秘密を打ち明けてきた、といった経験はありませんか。他の友人にはオープンにはしていない内面の奥深くのことについて自己開示を重ねた友人とは、ますます親密になっていくのですが、逆に、こちらは自己開示をしているのに、自分のことは何も話してくれない人とは、親密な関係になろうという気が起こりにくいものです。

理解されていることを感じ、返報する

インタビュアーの自己開示は、インタビュアー自身の経験や考えを伝えることで、さらなる発言を引き出すストラテジーです。実際の会話を見てみましょう。

次ページの会話１はある著名人のインタビューですが、インタビュイーの最初の発言は、他媒体で既に語られていることでした。そのためインタビュアーはそのまま記事にすることを避け、より具体的で詳細な

話を引き出す必要がありました。そこで、インタビューイーの発言を自己満足という言葉を使って表現し、自分もそのように感じると自己開示をしました。するとインタビューイーは、自分の考えに「共感的理解」（第５章参照）が得られたと認識し、同じく「自己満足」という表現を用いて、以前と現在の自分の比較や、自分だけではなく周囲の人々について触れ、「環境を変えるのも自分」と、新たな要素を加えました。インタビュアーの自己開示に刺激されたインタビューイーがこれまでと異なる発想と表現で話を完成させた例です。

【自己開示した会話_1】

自分だけじゃなくて、自分のしたことで周りの人が元気になって喜んでくれるのが嬉しいんです。
人に必要とされているって感じることが自分の喜びなんです。

わかる気がします。
10代の頃は自分さえ楽しければと自己満足でよくて、そんなふうに思わなかったんですが。

そうでしょ、そうなのよ。
以前は自己満足が一番大事だったんだけど、だんだん自分じゃなくて、人の喜ぶ顔が何よりも自分の喜びになってきて。
人を喜ばせることに力を注いでいると、自分を取り巻く人、つまり、環境も変わってきて。
自分を取り巻く環境をハッピーにしたいなら自己満足じゃダメということなんです。

ER: インタビュアー
EE: インタビューイー

インタビュアーが自己開示をするとき

自己開示のストラテジーは、インタビュイーの話が一般的に理解されにくい内容であったり、抽象的でわかりにくい表現が使われていたりする場合に、具体例や新たな話を引き出すのに有効です。

自分を引き合いにする

話の内容が個人の内面に迫るデリケートなものである場合、発言が抽象的でわかりにくいことがあります。ダイレクトには聞きにくい事柄であることも多く、そのような場合はインタビュアーが自己開示をすることでインタビュイーが話しやすくなります。

次ページの会話2は作家へのインタビューの際のやりとりです。冒頭のインタビュイーの発言は、かなり突飛に思われるもので、そのままでは読者に理解してもらうのは難しい表現です。「自分で自分のことを天才と思う」とは、冗談で言うことはあっても、本気で人に話すには勇気がいるものです。それを記事として読者が共感できるように紹介するには、補足が必要です。

そこで、インタビュアーは「自分を100％本気で肯定できるか自信ないです」と読者を代弁するように、自分はそのように考えるのは難しいと自己開示をしました。すると、インタビュイーは、「そうなんですよね」と認めたうえで「いろいろな経験を積んで学んできた今が一番の自分で、天才と思っていい」とアドバイスをするように話しました。

【自己開示した会話_2】

ER: インタビュアー
EE: インタビュイー

自分のことを天才って思う瞬間があるんですよ。そうやって意識的に自分を盛り上げるんです。自分を褒めちぎる、認めきる。

自分を100%本気で肯定する自信、ないです。自分の足りない部分に目がいってしまって。

そうなんですよね。でも昔の自分より今の自分のほうが好きでしょう？　肯定できる部分は増えているはずですよ。いろいろな経験を積んで、学んできたんですから。だから、今が一番、天才なんですよ。自分を認めてあげていいんです。

その結果、読者に考えの道筋を提示することになり、読者が共感しやすい説明になりました。

もし、インタビュアーが自己開示ではなく、「普通は、そんなふうに思えないのでは」といった一般論で質問をした場合、インタビュイーは「そんなことはない」と反論したり、「このインタビュアーには話しても理解されないのでは」と距離をとったりした可能性もあり、わかりやすい説明は得られなかったかもしれません。

親身なアドバイスのように返報する

もうひとつ女優へのインタビューの会話をみてみましょう。会話３の冒頭のインタビュイーの発言は一般論にもとれる内容で、面白みがありません。よりインタビュイーのキャラクターを感じさせる具体的な話を引き出す必要があったため、インタビュアーは「変えるのは怖い」と自己開示のスタイルで言いました。それに対し、インタビュイーは「変わることを絶対に恐れちゃだめ」に始まり、説得するような調子で詳細に語り、一般論にとどまらない、気持ちのこもった内容になりました。

【自己開示した会話_3】

人って長年同じことを続けてある程度成功すると、我儘になったり、頑固になったりしてくるんです。でも、いつまでも同じところにいたら止まっちゃう。自分を変えないとね。

でも、うまくいっているときに自分を変えるのは怖いです。
もしかしたら、変えて失敗するかもしれないと思っちゃいます。

変わることを絶対に恐れちゃだめなんですよ。もっともっと他にも面白いことってあるんじゃないかと思わなきゃ。あとで後悔するより、チャレンジしてもっと楽しいことを見つけるほうが人生は豊かになるじゃない。そう思ったらもっとチャレンジしなきゃ、でしょ。

わかりやすく説得力のある話が引き出せる

以上の2つの会話のように、インタビュイーの話した内容について、それに対し、読者にわかりやすい表現や詳細を求めたいと思ったときに、インタビュアーが自己開示のスタイルで質問をします。それによってインタビュイーはインタビュアーが自分の発言を真摯に受け止めたことを認識し、親しい人にアドバイスするように説明を加えます。そういうときには親密さを感じさせる表現になるため、説得力のある記事になります。

自分を低く見積もる

インタビュアーの自己開示は、インタビュイーの発言に対して自分の意見や疑問を投げかけるものです。その際にインタビュイーに「私の言っていることを理解していない」と受け取られ、信頼が損なわれるのは避けなければなりません。

理解したうえで、さらに聞きたいということを効果的に伝えるには、どのように自己開示をすればよいでしょうか。そのポイントは、「自分を低く見積もって」行うことです。「わかっているけれど、私にはできない」「そのようにすればいいのはわかるけれど」というように、インタビュイーの発言を肯定したうえで、その発言に自分が（もしくは読者が）及ばないと思ったときに自己開示をします。そうすることで親近感がわき、心の距離が縮まるので共感が得やすくなり、さらに深い話を引き出しやすくなります。

インタビュアーの自己呈示はNG

反対に、インタビュアーが自分を持ち出す際に、避けるべきなのが「自己呈示」です。「自己呈示」とは、自分が望む自分をアピール（呈示）することで、「印象操作」とも呼ばれます（安藤 1990）。わざとらしいお世辞や必要以上に自分をよく見せる言動、偽善的な、もしくは高圧的、必要以上に自分を卑下したもの言いetc.……。そのような「自己呈示」が必ずしも悪いことであるわけではなく、日常のコミュニケーションや面接などで、脚色した自分を戦略的に見せ、成功する場合もあります。

しかし、自己開示のストラテジーを用いる際に、インタビュアーが自己主張や自慢をしても、いい印象を持たれることは、ほぼないでしょう。むしろ、話す気持ちが失せてしまうかもしれません。

インタビュイーに対して誠実に自分をオープンにするのが、フェアな向き合い方と言えるでしょう。

WORK 12

どうする？
どう聞く？

インタビュイーが以下のような発言をしました。そのとき、あなたは｛　｝内のことを話して欲しいと思いました。自己開示のストラテジーで質問を考えてください。

① 現場で反対意見を言う人がいても、そこは譲らずに自分の考えを主張すべき。そうしないといい映像は作れない。人間関係がその先どうなろうと。それが演者の義務です。
｛どのように自分の考えを主張するのか言い方を知りたい｝

② 先月から、ヒップホップダンスのスクールに通い始めたんです。なんでもやりたいときに年齢を気にする必要なんてないんですよ。ほかの生徒はみんな10代だったけど(笑)。
｛一人だけ年齢が高くて恥ずかしくなかったかを聞きたい｝

③ こんな世の中だから、自分を塗り替えるつもりで価値観を変えないと。カラーを変えるんですよ、自分のスタイルの。
｛抽象的でわかりにくいので、別の表現で言って欲しい｝

Column

インタビュー裏話 11

誰もが自分を語る時代

インタビューに臨む際は、「明るい人みたいだから、和やかな雰囲気で行こう」「気難しそうだから、話し方に気を付けよう」など、その人に合せて自分の心や態度の「ありよう」を調整します。その人のパーソナリティのほかに、何をしている人か、つまり職業も参考にします。ジャンルを問わず様々な人に会ってきて、なんとなく職業別にタイプがあるような気がします。もちろん、一概にはいえませんが、あくまで私の経験から印象をまとめてみました。

小説家やエッセイストなど、言葉を生業にしている人にインタビューするのは、とても楽です。さすが言葉のプロ、質問の趣旨を的確に汲み、わかりやすく話してくれる人が多いと思います。語彙も豊富で、キャッチーな言葉も散りばめられています。同業者から聞いたところによると、ある有名なコピーライターは、インタビューのテーマを説明しただけで、そのまま書き起こせば原稿になるように話してくれるそうです。

大学の教授や医者に専門分野の話を聞くことがありますが、先生と呼ばれる人たちも、たくさん話してくれる点では助かります。ただ、話が長くなりがちです。知識が豊富なので、得意ジャンルの話になると止まりません。聞いているぶんには面白いのですが、原稿にまとめるのが大変です。そして、校正チェックが厳しく、校正紙が真っ赤になって戻ってくることが多々あります。面白く話されたことであっても記事にする際には論文のように詳細で正確な記述が求められることがあるのです。インタビュー中に原稿にするときの書き方を確認しなければあとで大変なことになります。「専門家にインタビューあるある」です。

女優やアナウンサー、タレントなど、テレビで活躍している人へのインタビューは、難しい部類に入ります。たいていこの本にあるストラテジーを総動員して臨みます。というのは、もちろん人によりますが、セルフイメージを大切にしている人が多いからです。他人からこう思われたいという意識が、本音を引き出す壁となって立ちふさがるのです。しかし、それを突破して別の顔や意外性を引き出すことこそが、インタビュアーの腕の見せどころ。成功したときは会話が弾み、楽しい時間になります。ただ、ストラテジーを駆使するため複雑に絡み合った会話になることが多く、会話のニュアンスを残しつつ原稿にまとめるのには時間がかかるのが難点です。さらに校正の際にマネージャーから削除を求められるというリスクもあります。特ダネが飛び出したら、マネージャーに書いてもいいかどうか確認が必要です。話した本人がOKでも事務所がNOの場合が多々あるのです。

誌面の企画段階で誰にインタビューをしようかとなったときに、アスリートの名前が出たらラッキーです。あくまで私の経験によるとですが、ラグビー、マラソン、テニス、野球、競輪、水泳、ゴルフ……、種目にかかわらず、みなさん質問に対して誠実で、しかもどこかで聞いたような台詞ではなく、自分の言葉で率直に話してくれます。そのため話に説得力があり、表現に悩まなくてもよい記事になります。不思議に思い、あるときオリンピックのメダリストに、なぜ語るのが上手なのか聞いてみました。すると、「アスリートは、常に自分に問いかけて、自分に言い聞かせて、辛い練習を乗り越えているからでは。漠然とイメージするのではなく、はっきりと言葉にして明確に脳内で自分に語りかけている」とのこと。記録や勝負のために、ギリギリの状態で常に自分と向き合い、戦っているからこその言葉。人の心に響かないわけがありません。

著名人はインタビューされる機会があるので、良かれ悪しかれ、自分を言葉で表現することに慣れています。ところが今は、著名人でなくても、自分について語るのが上手い人が増えています。それは紛れもなく、SNSの影響でしょう。誰もが発信するツールを持ち、自己表現をする機会が増えたため、自分を語ることが巧みになってきたのです。

私がインタビューしたなかで、この人売れるかもとピンと来て、実際に名前が知られるようになった人は、ありきたりでない自分なりの表現方法で話す人でした。

誰もが発信者となりうる時代、自分や物事について人にわかりやすく伝える技術は、ますます重要になります。音、表情、視線、態度など、人に何かを伝える手段はさまざまですが、“言葉”には圧倒的な伝達力があります。どんな仕事に就いても、コミュニケーションの基本である言葉の使い手として秀でていることは、アドバンテージになるはずです。

番外編

話し方・ふるまい、
オンライン・インタビュー、
記事作成

インタビューは「その人の、今の瞬間」を切り取る作業です。同じ人でも時間がたてば考えや思いは変わるし、場によっても発言は変わってきます。優れたインタビュー記事は、一度だけの出会いで誰も知らない、もしかしたら本人さえ気づいていない「その人の、今の瞬間」を引き出して、原稿にして紹介し、読んだ人の心を動かします。二度とない貴重な機会、しかも短時間で信頼を獲得し、心の内を話してもらうには、充分に準備したうえで向き合うことが肝要です。そして、ストラテジーを用いて質問しますが、ほかにも配慮したいことがあります。〈番外編〉では、これまで記してきた、どのように「質問するか」以外の、よりよいインタビューを行うための話し方やふるまいについて述べます。また、近年増えているオンラインでのインタビューをよりスムーズに行う方法、さらに、基本的なインタビュー原稿の書き方について触れていきます。

第12章

話し方・ふるまいを見直す

自分を客観的に見直す

自分がどのような話し方をしているか、考えたことがありますか？　もしかしたら、滑舌が悪くて聞き取りづらく、文法も間違っているかもしれません。また、失礼な言葉遣いをしている可能性もあります。気心の知れた友人や家族との会話なら大きな問題にはならず、自分の話し方を見直す必要を感じることはないでしょう。しかし、あらたまった場面では、その場にふさわしい話し方をしなければなりません。インタビュー本番で「きちんとした話し方をすればいい」と思っているかもしれませんが、経験がないことは急にはできません。まず、自分がどのような話し方をしているのか、また、きちんとした話し方とはどのようなものかを知り、備えましょう。

自分の話し方を知る

初対面の人や目上の人と話すときに、聞き返されたり、敬語がうまく使えなくて冷や汗をかいた経験はありませんか。また、アルバイト先など限定されたコミュニティでは違和感なく使われていた敬語や言葉遣いも、常識的には奇妙な言葉遣いや言い回しが身に付いてしまっているかもしれません。

どのような話し方をしているかは、自分ではわかりにくいものです。そこで、インタビューだけでなく日常のどんなシーンでも、より円滑な会話コミュニケーションがはかれるよう、まず自分の話し方を客観的に観察してみましょう。

自分の音声を確認する

友人にインタビュイーになってもらい、模擬インタビューを行います。それを録音し、自分の声と話し方を検証します。実際に行ったインタビューの録音データがあれば、それを使います。

録音を聞くと、自分で思っていたのとだいぶ違うように聞こえませんか。まずは、「話し方」を検証します。以下の項目をチェックしてください。できれば、録音データを人にも聞いてもらい、チェックしてもらうといいでしょう。

自分の話し方を知るためのチェック項目 ✓

- □ 声の大きさが適切か
- □ 滑舌がよく、聞き取りにくい言葉がなかったか
- □ 適切な声のトーン、スピードで話しているか
- □ 敬語を適切に使っているか
- □ 文法、語彙の間違いがないか
- □ 不用意にタメ口を使っていないか
- □ 若者言葉やバイト敬語を使っていないか

質問をする際にはインタビュイーが聞きやすい落ち着いた口調、もしくは相手の話すトーンやスピードに合わせるのが望ましいのですが、緊張すると、声が小さくなったり、早口になったりしがちです。聞き返されることが多ければ、声が小さい、早口、滑舌が悪い、といった問題が考えられます。深呼吸してリラックスし、適切な大きさの声でゆっくり話すようにします。

また、予め用意した質問なら間違えることはありませんが、咄嗟に質問を追加したときは、敬語（尊敬語、謙譲語、丁寧語）がうまく出てこないことがあります。ふだんから丁寧な話し方を心がけ、友人や家族以外の人と話すときに、敬語を意識した話し方をすることを心がけましょう。

「ヤバい」「エグい」「めっちゃ」など、ふだん同世代の友人と話すときに使っている若者言葉は目上の人と話すときには好ましくありません。かわりにどのような表現をするかを知っておかないといざというときに慌てます。意味が曖昧な語彙については辞書で確認しておきましょう。

質問の内容は適切か

インタビューでは、企画の意図に沿った、まとまりのある原稿が書けるだけの素材（ネタ）を仕入れておかねばなりません。インタビューが終わってから原稿を書くときに、「このことを聞いておけばよかった」と後悔しないために、また、原稿にするときに、どんなことが足りなくなるかを知っておくために質問項目を考え、実際にインタビューの練習をしてみましょう。そして、聞くべきことは聞くことができたか、また質問の内容は適切だったかをチェックをします。

話の内容のチェック項目 ✓

- □ 1つの質問から第2打、第3打と質問を重ねた
- □ メモしておいた質問をすべて聞くことができた
- □ 質問の意図が思い通りに伝わった
- □ 聞き漏らしがない
- □ 不快感を与えるような聞き方をしていない

第１章で述べたように、予め考えていた質問をし、返ってきた答えの内容に対して質問を重ねる第２打目以降が大切です。相手がひとつの質問に対してよほど熱心に話してくれた場合を除いて、用意してきた質問を繰り出すだけの一問一答が続いていたら、興味深いエピソードや具体的な話は引き出せず、本音に迫ることはできません。

また、質問に見当違いの答えが返ってきた場合は、質問の意図がうまく伝わらなかった、つまり、質問の仕方が悪かったのかもしれません。誤解なく意図が伝わるよう質問そのものを吟味しておく必要があります。

話を聞いている最中に「あ、あとでこのことも聞いておこう」と質問を思いつくことがあります。その時は、忘れないようにノートの余白の目立つところにメモをしておきましょう。また、インタビューの前にメモしておいた質問も含め、じゅうぶんな返答を得られた質問には、その都度✓などの印をつけておきます。そして、インタビューはこれで終わりと思ったときにノートを見直し、聞き漏らした質問がないかを確認します。

インタビュー中は、話を聞きながらメモをとったり、次の質問を考えたりと忙しく、また、インタビュイーがとても興味深い話をしてくれたために、そちらに気をとられてしまい、企画の趣旨に関わる大事なことを聞くのを忘れてしまうことが起こり得ます。原稿を書くときになって困らないよう、“聞き漏らし”には注意しましょう。

インタビュー・ストラテジーを使ったか

質問の仕方を工夫すると、聞きにくいことを聞くことができたり、より多くのことを語ってもらったりすることができます。その“工夫”が、インタビュー・ストラテジーです。ストラテジーを使った質問をしたかどうか、チェックしてみましょう。以下に各章で紹介したストラテジーごとにチェック項目を挙げてあります。すべてを使う必要はありませんが、「このストラテジーを使えばもっと聞くことができたかも」と気づくことがあるかもしれません。

ストラテジーを使った質問をしたかのチェック項目 ✓

信頼を獲得した〈第3章〉

- ☐ 話しやすい雰囲気を作った
- ☐ 褒めポイントや気づきを見つけた
- ☐ 上記をさりげなく伝えることができた

スピーチレベルのダウンシフトを行った〈第4章〉

- ☐ タメロで感情表現をした
- ☐ 話し方を変えたら親密さが生まれた

共感的理解を示すことができた〈第5章〉

- ☐ 相手が言おうとしたことの先取りをした
- ☐ 相手の言ったことをまとめて伝えた
- ☐ 相手の発言を別の表現で言い換えた

あいづちを適切に打つことができた〈第6章〉

- ☐ タイミングが適切だった
- ☐ あいづちのバリエーションがあった

中途終了型発話を使った〈第7章〉

- ☐ 気を悪くするかもしれないことを聞く時に使った
- ☐ 答えを絞り込むために使った
- ☐ 一緒に考えるために使った

インタビューは質疑応答ですが、そのやりとりは会話によって行うコミュニケーションです。当然、話が弾んだほうが多く聞き出せます。そこで、とっておきのことを聞き出したり、相手の気持ちを害する可能性のある聞きにくい質問をするときに、気を悪くせずに答えてもらったり、読者にわかりやすい言葉で詳細に説明してもらったりするのに有効なのがインタビュー・ストラテジーです。

常套句・一般論を回避した〈第8章〉

- □ 常套句を封印して、インタビュイーらしい話を引き出した
- □ 一般論を封印して、インタビュイーらしい話を引き出した
- □ 以前の発言を質問の際に引き合いにした
- □ 事前に得た情報を活用した

話す必然性を生じせさた〈第9章〉

- □ 質問して得た答の中から質問をつくった
- □ 非言語情報を言語化した
- □ 詳細に、具体的に、聞いた
- □ あえて発言を疑った

反論することでより多くの情報を引き出した〈第10章〉

- □ 伝わりにくい話を、共感できる表現で話してもらうことができた
- □ 具体的で説得力のある話を引き出すことができた
- □ その人らしいユニークな話を引き出すことができた

自己開示をした〈第11章〉

- □ 聞きにくいことを、自分を引き合いにして聞き出した
- □ 自分を低く見積もって自己開示をした
- □ 自分自身が自己主張や自慢をしていない

ストラテジーが有効に活用できれば、インタビュイーがよりいきいきと、より能動的に話してくれるはずです。

また、インタビューの録音音声を聞いて、聞きたいことをうまく聞き出せていない箇所があったら、どのように聞いたら答えてもらうことができたのかを考えましょう。

自分のふるまいを見直す

どのようにふるまったら失礼に当たらず、好意的に感じてもらえるかを考えることはあっても、相手の「話しやすさ」を基準に自分のふるまいを決める機会は、日常の生活ではまずないと思います。インタビューにおいては、話し方だけでなく、見た目やふるまい、場の設定も相手の話しやすさに関わってきます。以下を心にとめておきましょう。

視線の置きどころに工夫を

「話すときは相手の目を見て」とよく言われます。「目は口ほどにものを言う」「目は心の鏡」などといった諺や慣用句もあります。目はとても雄弁です。たとえば「この人の言葉は一語たりとも聞き逃すまい」と思いながら話を聞いているときは、相手の目をじっと見つめているはずです。逆にずっと目を合わさずに聞いていると、本当にこの人は自分の話に興味があるのだろうかと、不信感を抱かれるでしょう。

ずっと見つめているのは失礼

かといって、相手の目を見つめ続けるのは、相手に圧迫感を与え、自分も疲れます。質問をするときは、まず相手の目を見ます。それほど長い時間ではないので、ずっと見ていても構いません。時には、質問に集中するように視線をはずすのも失礼にはなりません。

難しいのは、話を聞いているときです。聞き始めは目を見ていても、見つめ続けるのは不自然です。ときどきメモをとるためのノートを見たり（フリでもよい）するなど、圧迫感を与えないようにしましょう。そのほうが相手はリラックスして話すことができます。ノートは、そのための小道具でもあるので、ペンと共に必ず準備します。

インタビュイーの話に驚いたり、感動したりするなど、自分の心が動いたときには目を見たほうが、一生懸命に集中して聞いている感じが自然に伝わります。思わず目を見開いたり、口を開けたり、のけぞる、など心の動きに合わせて“聞く態度”を表情豊かにすると、共感や話が通じていることが伝わり、話し手としては嬉しいものです。

自分も見られていることを忘れずに

「あなたにインタビューできることになって嬉しい」、「あなたのことを知りたい」、「あなたの話は、とても興味深い、もっと聞きたい」……そんな思いが伝わったら、相手は心を開きやすくなります。言葉で自然に伝えるのが難しい場合は、表情や身振り、視線、あいづちといった非言語情報によってじゅうぶん伝えることができます（第6章参照）。

細かいところでいえば、服装やメイクといった、いっけん無関係に思えるようなこともこちらの情報として相手に伝わります。インタビュイーの服装はカジュアルなのに、インタビュアーがあまりにもかしこまった服装をしていたら、互いに居心地の悪さを感じるでしょう。逆に、インタビュイーがきちんとした服装なのに、こちらがあまりにカジュアルだと失礼だし、同じ土俵で会話をするようには感じられません。

主役はインタビュイーであり、インタビュアーは黒子です。存在感を発揮する必要はありませんが、相手の世界観を尊重し、かつ、その場のTPOやマナーに注意を払いたいものです。あまり神経質になる必要はありませんが、こちらが相手を観察するように、相手も自分を見ており、どんな人間かという情報を感知していることを覚えておきましょう。

話しやすい「場」をつくる

インタビューの際に、インタビュイーとの身体的な位置関係をどのように取るかは、とても重要です。話しやすさがだいぶ違うのです。

テレビの対談番組などでは、テーブルを使わずに斜めに向かい合うように椅子を置いて話しているのをよく見ますが、テーブルがあれば、テーブルをはさんで行います。メモが取りやすく、ICレコーダーを置いたり、話しながら資料を見たりするのに便利だからです。

そして座る位置ですが、選ぶことができる状況ならば、インタビュイーと"90度"の位置を取りましょう。

リラックスして親密な関係性を築きながら話すには、"90度"の位置関係が適しているといわれ、心理カウンセリングの現場では、そのような座り方が推奨されています。自宅を訪問した場合は、向かい合って座ることが多いのですが、この位置関係は、会議やプレゼンテーションなどで相手と議論をしたり、説得したりするときに適した位置関係だといわれています。相手の真正面に座ると圧迫感があり、また、視線のやり場に困るので、できれば避けたい座り方です。また、カフェやバーのカウンターのように並んで座ると、身体的な距離が近いので気を遣いがちです。その場合は間隔を空けましょう。その点、"90度"の位置ならば、顔を上げると常に視線が合ってしまう気恥ずかしさが避けられ、また、話を聞いている途中で正面に視線をそらせば失礼な印象にはなりません。そして、遠すぎず近すぎず、親近感を抱きやすい身体的な距離をとることができます。信頼を築きながら心理的距離を縮め、リラックスした状態を作り、話を引き出すのに適切な位置関係だといえます。

【図1＿座る位置と話しやすさ】

対面

議論や説得するのに有効な座り方。
圧迫感や緊張感が生じる。

並び

話しを引き出しやすい座り方。
初対面では気まずさが。

90度

親密な関係の者同士にふさわしい座り方。リラックスできる距離感。

話しやすい身体的距離

テーブルをはさんで"90度"の位置関係で座ったとしても、互いの距離が近すぎると、圧迫感があり話しにくくなります。逆に遠すぎると心理的な距離も遠くなってしまいます。

ごく親しい人同志なら互いの距離が50cm以内の、触れられるほど近くにいても不快に感じませんが、他人がこの距離内にいると不快に感じます。これは人にはパーソナルスペースというものがあり、他人に近づかれると不快に感じる空間（距離）があるからです。人と一緒にいるときは、周囲の状況や互いの関係性に応じて、無意識に適切な距離をとっています。テーブルをはさんで"90度"に座ると互いの距離は50〜80cm程度であり、親密な関係を構築するのに程よい距離になります。インタビューの場にほかの人もいる場合、インタビュアーは、ほかの人をはさまずにインタビュイーの隣に、適切な距離をとって座ります。ただし、インタビュ

【図 2_ 身体的距離間を適切に】

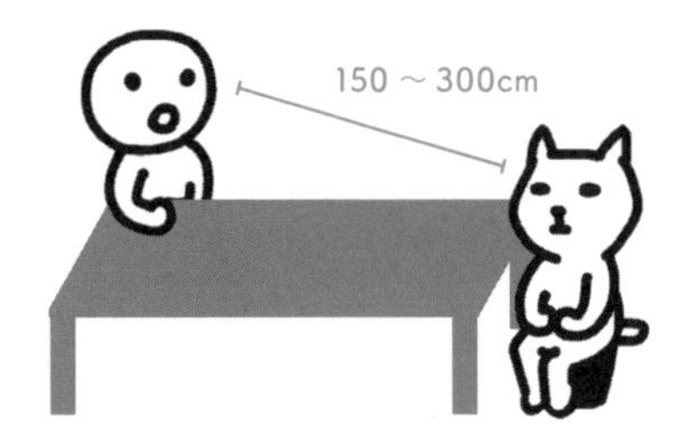

遠すぎて話しづらい

会話しようと思えばできるが、
視線を合わせて話すのは難しい

近すぎて話しづらい

とても親しい人なら話しやすいと
感じるが、他人同士では近すぎる

話しやすい距離

友人なら50〜80cm、インタビューなどフォーマルな会話なら80〜150cmが話しやすい

＊高橋ほか（1984）一部抜粋

イーが声や体の大きな人であれば、もう少し離れたほうが話しやすく感じるなど、状況にもよります。

　また、話を聞いていて、思わず身を乗り出したり、驚いてのけぞったりするなど、距離感はずっと同じではありません。ささやき声で秘密を打ち明けるように話し出したときには、思わずぐっとそばに寄っているでしょう。インタビューが終わったら、意気投合して互いの距離がはじめよりも近くなっていた、ということもあります。

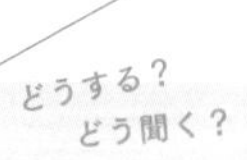

模擬インタビューを行い、ほかの人のインタビューの様子を観察し、
気づいたことを指摘し合いましょう。

Column

インタビュー裏話 ⑫

誰とでも話せる人になる

「今日、あなたが最後のお客さんでよかった。1日が気持ちよく終われる」

仕事で遅くなって深夜にタクシーで帰宅する際、降りるときに運転手さんが、こんなふうに言ってくれました。

運転手さんは30分ほどの乗車中、今日あったこと、家族のこと、くすっと笑える失敗談などを話してくれて、何ということのない内容ですが話しぶりが楽しそうで、こちらもつい、「で、どうなったんですか？」と引き込まれていきました。乗車するときは深夜まで働いて心がささくれ立っていたのですが、だんだん気持ちが穏やかになり、そして、降りるときに、冒頭の言葉です。なんて素敵な人なんでしょう(泣)。

まったく接点のない他人でも、短い時間の会話で人の気持ちを変えることができる――人と向き合うときの心持ちを教えてもらいました。

このことは、深く心に刻まれて、以後しばらく深夜帰宅をするときは私が「運転手さんを気持ちよくする」ことに挑戦してみました。乗るたびに違う運転手さんですが、失礼にならない程度にプライベートなことを聞いたり、仕事で遭遇した面白い出来事を教えてもらったり。たいていの運転手さんは、深夜に陽気に話しかけてくる客が珍しかったのか、気さくにいろいろな話をしてくれました。もちろん、迷惑にならないよう、話したくなさそうな運転手さんには深追いしません。そのへんは場の雰囲気で。

半年ほどすると、いつも同じ場所から乗るので、「〇〇町（自宅の場所）のお姉さん」として、そこで営業をしている運転手さんの間で少し知られた存在になっていました。

会話が弾むと楽しい気持ちになり、お互い気分転換になります。ときには、悩み事を打ち明けられて深刻な話におよんだこともありました。この人とはわかり合えそうだと思えば、どんな話題でも、話しやすくなるものです。

狭いタクシー内で、互いの距離は70～80cm。運転席と後部座席では視線を交わすとしてもバックミラー越しなので、気楽で、親近感を抱きやすい環境だったのでしょう。

インタビュイーの気分、インタビュアーの考え方、室内やスタジオの様子、居合わせた人は誰なのか、さらには当日の天気まで、すべてがインタビューの雰囲気を左右するといっても過言ではありません。様々なことが影響し合っています。それだけ人の心に触れるのは、デリケートな作業だということです。もちろん、インタビュー内容やインタビュイーにもよりますが、大女優に話を聞く時も、街頭でその場にいる人にコメントをもらう時でも、人に話を聞こうと思ったら、相手がリラックスして積極的に心を開いて話ができるよう、せいいっぱいの配慮をしたいものです。

私たちが仕事としてインタビューに臨む際には、部屋の温度、食事時にかかるようなら好みに合わせた飲食の準備（事前に調べます)、BGMなど、さまざまなことに気を配ります。

今では、カメラマン、スタイリストやヘア＆メイク・アップアーティストなど、熟練のスタッフと阿吽の呼吸で協力し合って怠りなく準備を整えますが、駆け出しのころは、そのようなことに気づくことができませんでした。経験を重ねるに従い、話を聞きやすくするためにやったほうがいいこととして、「質問をする」という行為以外のことに気が回るようになったのです。席の位置関係や互いの距離は、インタビュイーへの気配りというよりもインタビュー全体に関わることなので、とても重要です。ちなみに、90度の位置関係をとるときにテーブルが長方形の場合は、長い辺にインタビュイーが、短い辺にインタビュアーが座るのがマナーです。

どのような状況で、どんなふうに話したら、相手が話しやすいかは、インタビューに限らず、日常の会話コミュニケーションとそう変わりはありません。日常では無意識に行っていることもありますが、意識することで互いの関係性がよりよくなるかもしれません。インタビューのために意識したことを日常に生かすこともできます。

私も、仕事以外の緊張感が伴う見知らぬ人が多いパーティなどでは、インタビュアー・モードのスイッチが入り、初対面の人に自分から話しかけ、少しでも楽しく、有意義な時間にしようと努めます。ただ、気が乗らないときはスイッチが入らず、ボーっとしています。そのほうが楽ですから。実は根っから社交的な性格ではなく、努力して人と話せるようになったのです。ですから前述の深夜タクシーの運転手さんとの会話などは、よい勉強になったと思っています。

第13章

インタビュー記事を書く

会話を読み手に伝わる文章にする

テレビや動画のインタビュー番組なら、インタビュイーのちょっとした表情の変化や言い淀んだときのニュアンスまで映像や音声で伝わりますが、活字メディアでは、それらを文字で表現する必要があります。そして、文字にするからこそ伝えられることもあります。本書でこれまで述べてきたインタビュー・ストラテジーは、映像や音声のインタビューでは用いられないものもあります（例えば、インタビュアーが頻繁にあいづちを打ったらテレビやラジオでは耳障りになるので控えめ、など）。この章では、活字メディアのインタビューならではのストラテジーによって引き出された成果を記事にする方法を述べます。

インタビューを記事にするとは

インタビュー記事では、話したことがそのまま文字になるわけではありません（第１章参照）。テレビやラジオは生放送を除き、制限時間内に放送が終わるように編集されています。同様に活字メディアには文字数の制約があり、割愛される会話があります。雑誌インタビューでは特集や記事ごとにページが割り振られ、原稿を書く前におよその文字数やページ数が決まっています*。

しかし、文字数に余裕がある場合でも、インタビュー中の会話をそっくりそのまま書くことはありません。なぜならば、インタビュー中の発話は「話し言葉」だからです。

*ネットの記事は雑誌よりも文字数の制限が緩やかです。

「話し言葉」を「書き言葉」で表現する

会話の際の「話し言葉」と人に読ませるために書かれた「書き言葉」は別ものです。録音した会話を書き起こしてみるとわかりますが、「話し言葉」は、主語や語尾を省略している、助詞が正しく使われていないなど文章にすると間違いやわかりにくい部分が多々あります。違和感なく会話は成立していても、それをそのまま文字にすると意味が正確に通じなかったり、誤解を招いたりすることがあります。

そこで、「話し言葉」で行われたインタビューは、話の内容や雰囲気を壊さずに「書き言葉」に変換します。インタビュイーの発話がどのように記事で表現されるか、例を挙げます。

記事では、言い淀みや言い間違いなどを整理し、かつ、本人らしさを活かして文章にします。話した本人が読んでも、「自分はこのように話したから間違いない」と思うでしょう。記事の流れによっては、以下のように地の文で書く場合もあります。実際に話されたことをどのように書き言葉に変換するかは媒体や記事の特性、記事の構成、ストーリーの流れ、文字数などによって変わります。

インタビュー時〈話し言葉〉

今日みたいに、くも、曇ってるっていうか、お日様が見えない感じだと、
気持ちが、こう、イマイチだし。

記事表現〈書き言葉〉

❶「　」を使った表現

「今日みたいに曇っていて、お日様が見えないと、
気持ちがイマイチで」

❷ 地の文に落とし込んだ表現

〇〇さんは、今日のように曇って太陽が見られない日は、
いまひとつ気持ちが乗らないと言う。

非言語情報を補う

話している最中には、「えっと」「えー」「あの」といった言い淀み（フィラー）がたくさんあります。これは、言おうとしていることや言い方を心の中で探っているときに出ますが、同時に「今考えているところです」

ということを伝える相手へのメッセージにもなります。あまりにも言い淀みが多いと聞きにくくなりますが、まったくないと窮屈な会話になることがあります。聞き手にとっては、相手の話を聞く準備をする時間がなくなるからです。しかし、読み手は自分のペースで読んでいるので、言い淀みが何かしらインタビュイーの意図を表している場合を除き、あえて文字にする必要はありません。

いっぽう、音声になっていなくても文字にすることがあります。沈黙や話速（話すスピード）、声の高低、大小なども、会話の中でインタビュイーの発言を表すために効果的に使われたと思われる場合には、「しばらく間をおいてから、ゆっくりと話し始めた」「声のトーンを落として答えた」というように地の文で補います。顔の表情や身振りなども同様です。

「彼が笑った瞬間に、その場がたちまち和やかな雰囲気に包まれた」といったように、言語化されていないことを文章にすることもあります。

語られたことを整理する

会話では、同じことを違う表現で言い直したり、繰り返したりすることがあります。それらをすべて文字にすると読みにくくなるので、特別な意味を加えたい場合を除いて省略します。そして、説明が必要な部分を補います。

このように記事では、語られたことを読みやすいように整理するとともに、必要に応じて語られていないこと、言語化されていないものを文字化していきます。

インタビュー記事のスタイル

インタビュー記事には、およそ4つのスタイルがあります。どのように書くかは企画によって決められている場合もあれば、インタビュアーが書きやすさを考慮して決める場合もあります。

記事のスタイルと特徴

【インタビュー中の会話】

そういう時って、
実際、どんな気持ちが
するもんですか。

あはは。そりゃもうねー、
飛び跳ねたくなるくらい、
嬉しかったですね。

インタビュー中の会話は、まっすぐに結論に向かって進んでいるわけではなく、突然、全く別の話題に飛んだかと思うと、また前の話題に戻るなどランダムに進んでいきます。そのためインタビュイーの言いたいことをわかりやすく読者に伝えるには工夫が必要です。一般的には、インタビュイーの発言をなるべくそのまま書くことができ、非言語情報や発言の補足なども加えやすい「　」で括られたインタビュイーの発言と地の文の組み合わせが多くみられます。インタビュー中の会話を4つのスタイルで原稿にした例と、そのスタイルの特徴は以下のとおりです。

【インタビュー記事のスタイル】

会話スタイル

鈴木：その時は、どんな気持ちでしたか。
佐藤：あはは。そりゃもう、飛び跳ねたいほど嬉しかったですね。

- いきいきとした会話の雰囲気が表現しやすい。
- 地の文がないために説明の要素を加えるのが難しい。
- 記事全体の流れを構成するのが難しい。

一問一答、もしくはQ＆Aスタイル

――その時の気持ちは？
それはもう、飛び跳ねたいほど嬉しかったですよ。

- インタビュイーの発言をいきいきと伝えることができる。
- インタビュイーの発言をわかりやすく伝える質問を設定する必要がある。
- 読者に必要な情報を厳選することができるが、情報量が少なくなる場合がある。

インタビュイーの独白（一人称）スタイル

　その時、どんな気持ちだったかというと、
そりゃもう、飛び跳ねたいほど嬉しかった。

- インタビュイーが伝えたいことが強調される。
- 発言のフォローや裏付けを入れることができない。

インタビュイーの発言と地の文の組み合わせ

　その時の気持ちを聞くと、あははと笑いながら言った。
「そりゃもう、飛び跳ねたくなるくらい嬉しかったですね」

- 説明やその場の雰囲気などの非言語情報を盛り込むことができる。
- インタビュイーの発言をいきいきと伝えることができる。
- 記事の流れを構成するのが難しい。

会話を記事にするステップ

短いインタビューの場合には、録音はせず、メモだけで済む場合もありますが、通常ではインタビューは録音をします。あとで、「こんなこと言っていない」「いや、言った」のトラブルを避けるための証拠にもしますが、一番の目的は、インタビューの内容をいきいきとした記事に反映させるためです。

音声データを書き起こす

記事を書く前には、録音した音声データを書き起こします。

下はインタビュー中の会話を正確に書き起こした書き起こしデータの例です。要点をメモするのではなく、雑談も含め、なるべく正確に、音声のとおりに書き起こします。

【書き起こしデータ】

ER: どうやってダンスの練習の時間、作るんですか。忙しいのに。

EE: いやいや、時間ないとかいうのは言い訳ですよ。時間の使い方が下手な人の言い訳でしょ。いやもう、なにがなんでもひねり出して、時間は。やりたいことあるなら。

ER: ひねり出す？

EE: 好きなことをやる時間は持つべきです。人として必要。心のために。どうしてもと思うと出てくるもんです、時間って。あははは。

ER: インタビュアー　EE: インタビュイー

インタビュイーのアクティブで楽しい人柄が伝わってきますね。

先にも述べたように、話し言葉と書き言葉は違います。書き言葉は、読者に正確に、読みやすく伝えなければなりません。そのために冗語を削る傾向があり、インタビューの雰囲気や会話から伝わるインタビュイーの個性を十全に表現するのは至難の業です。かといって、書き起こしデータそのままでは読みにくく、情報の量や質に比して文字数が多すぎ、内容の薄い記事になってしまいます。興味深く、かつ、読みやすい文章にするにはどうしたらいいでしょう。

面白さはどこにあるか確認

書き起こしデータをよく読んでみましょう。この会話の趣旨（読者に伝えたいこと）は、「時間を上手に使って、ダンスの練習をする時間を作っている」「心を豊かにするために、好きなことをする時間を持つべきだ」という２点です。加えて、書き起こしデータからはインタビュイーの明るく前向きであることが想像されるキャラクターや生活をいきいきと楽しんでいる様子が伝わってきます。それらも含めて文字で伝える必要があります。

そこで、書き起こしデータから面白さにつながる要素を拾ってみます。この会話の場合は、以下がポイントといえそうです。

❶ 時間がないというのは、時間の使い方が下手な人の言い訳であるという発想

❷「なにがなんでも（時間を）ひねり出す」「どうしても、と思うと出てくるもんです」「いやもう」という強い思いを感じさせる表現

❸「いやもう、なにがなんでもひねり出して、時間は。やりたいことあるなら」など倒置法を使った話し方

インタビュイーがどのように話したかは、音声データを聞けばわかります。話の内容の要点だけのメモだったら「何を話したか」は記録されていたとしても、「どのように話したか」、つまり、言い回し（表現）の特徴まで記録することは、ほぼ不可能です。その人らしい話し方の特徴は、メモには残しにくい、非言語情報（「あのー」「えっと」「そのう」等の言いよどみ、声の大小高低、間など）や語尾に多くみられます。

非言語情報

「いやいや」「あはははは」

語尾

「言い訳ですよ」「言い訳でしょ」「時間は」「やりたいことあるなら」「持つべきです」「ますから」「出てくるもんです、時間って」

このようなインタビュイーの話し方の特徴を記事に入れ込むと、会話の雰囲気がいきいきと伝わります。文脈を整理しても、これらの表現を上手に取り入れれば、話し言葉のニュアンスが、かなり再現されます。

微妙なニュアンスに気づく

微妙なニュアンスを再現するためには、音声データを詳細に書き起こす作業が必要です。これは実際にインタビューに要した時間の数倍を要する手間のかかる作業です。しかし、インタビュイーの声に耳を傾けていると、「話に引き込まれたのは、倒置法で話していたからなんだ」「ここは、すごく強調していたんだな」など、どのような調子の文章で記事にしたらよいかが明確になるほか、話している最中には気づかなかったことも改めて認識することができ、発言への理解が深まります。面倒な作業ではありますが、省略できません。

書き起こしは、ICレコーダーを聞きながらパソコンに打ち込むと、原稿にする際に便利です。打ち込む速度に合わせてICレコーダーの再生速度を遅くすると聞き取りやすくICレコーダーを止める回数も少なくなるので、作業がはかどります。また、音声書き起こしソフトやアプリを使い、それを元に修正していく方法もあります。

記事にする箇所・気になる箇所を選ぶ

書き起こしが終わったら、記事に使う部分を決めます。まず、インタビューの趣旨に合った部分を選びます。

次に、インタビューの趣旨とは直接には結びつかないけれど、印象に残った発言や知られていない意外な魅力、また、これまで語られたことのない新鮮なエピソードなどが書かれている部分を選びます。それらの要素は、インタビュイーの個性をより際立たせ、発言の裏付けとなるなど、記事をより興味深いものにします。

選んだ部分は、色文字または太文字に変えておきます。音声データを聞きながら書き起こし、気になった部分の文字を変えておくと作業効率がアップします。

【書き起こしデータのイメージ】

言いよどみや語尾など細部も可能な限り、正確に書き起こします。Wordで書き起こしながら気になる部分を色文字や太字にしていきます。

記事の構成を考える

記事に採用する部分を選んだら構成を考えます。インタビューでは話が飛んだり、また戻ったりしているので、会話の流れどおりには書けません。何をどのように伝えたら読者にわかりやすく、より面白い記事になるか検討し、全体を再構成する必要があります。その際は書き起こしデータの文字色を変えた部分をみていきます。文字色を変えた部分以外は削除し、使う部分だけを残すと、作業効率が上がります。

まずインタビューの趣旨に合った部分をピックアップして全体の流れを決め、次に印象的な発言や新鮮なエピソードをピックアップし、残った部分は不採用とし削除します。同時に「これは、この人らしい面白い発言だから、冒頭にもってこよう」「この発言をオチにしよう」など、その部分を全体のどこでどのように使うか、コメントをつけておくと原稿を書くときに便利です。

冒頭をどう書くか

たいていの読み物は話の導入があり、だんだんクライマックスに向かい、最後は結論で締めるという構成になっています。冒頭部分は、これからどんな話をするのか期待させ、「この先も読みたい」と読者の興味を惹きつけるという役割があります。雑誌の記事だけでなく、小説やエッセイ、あるいは映画など、ストーリーがあるものには共通していえることですが、冒頭の部分に魅力を感じなければ、記事自体が読まずに飛ばされてしまう可能性があります。冒頭部分をどうしたら、より魅力的な展開になるか、よく考えて決めましょう。

「　」と地の文で書くスタイルの記事の場合、冒頭にはさまざまなパターンがあります。キャンプの魅力について聞いた例でみてみましょう。

地の文で書き始める

●この誌面では何について、誰が話すかを書く

ここ数年、キャンプが人気です。初心者はどんな準備をしたらよいでしょう。キャンプ歴10年の山川風太郎さんに聞きました。

●インタビュイーを紹介し、続いて何について聞いたかを書く

キャンプ歴10年、週末ごとに日本各地で大自然を満喫している山川風太郎さん。キャンプ初心者に向けて、ベテランならではの知恵を語ってもらいました。

●読者への問いかけやメッセージから書く

アウトドアが気持ちいい季節になりました。今年こそ、キャンプデビューしたいと思っている人も多いのでは。そこで、キャンプ歴10年の山川風太郎さんに初心者が最初に揃えたいキャンプ用品について教えてもらいました。

インタビュイーの発言から書き始める

●誌面趣旨についてのインタビュイーの発言から書く

「寝袋、憧れますよね。気持ちはわかります。でも、その前にもっと必要なものから揃えましょう」

日焼けした顔で笑いながら言うキャンプ歴10年のベテラン、山川風太郎さん。では、キャンプを夢見る初心者は、どんなものから揃えたらよいのだろう。

●インタビュイー自身のことから書く

「焚き火の炎から視線を上に向けると、空が破れたのかのような満天の星空。寒さが一瞬で吹き飛びました」

その光景が忘れられず、毎週のようにキャンプに出かけるようになって10年、という山川風太郎さん。そんな山川さんにこれからキャンプを始める初心者の道具選びについて聞いた。

書き出しによって、だいぶ印象が変わります。どのように書き始めるかは、その後の展開をふまえて決めますが、インタビューをしているなかで最も印象に残った発言やエピソードがあり、構成に無理がなければ、それを冒頭に持ってくるのがおすすめです。書きたいことから書くと、あとが書きやすくなり、いきいきとした記事になります。

本文以外の誌面の構成要素

【誌面の主な要素】

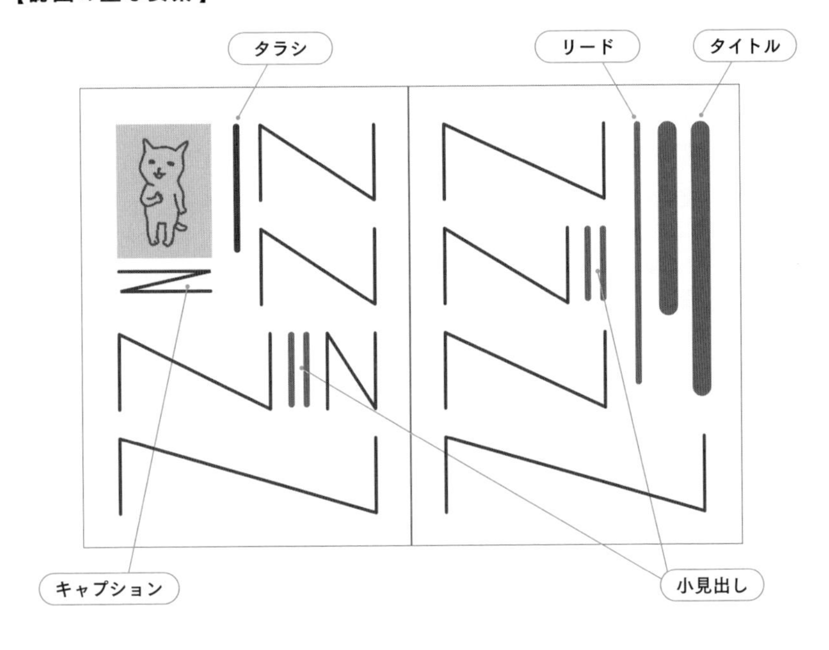

記事には、インタビューの内容を紹介する本文だけでなく、タイトル、リード、タラシ、小見出し、キャプションなどがあります。これらも記事を面白くする大切な要素であり、書き方に工夫があると、より魅力的な誌面になります。

タイトル　記事の趣旨を伝える

タイトルは誌面の「顔」です。目次にも出るので、とても大切です。タイトルには、主に次のようなタイプがあります。

提案型

- 始めよう、脳を鍛える新習慣。
- 勉強法の常識、ココを疑え！

名前・肩書きアピール型

- 山川風子先生に聞く、学ぶことの、本当の意味。
- 整理整頓のコツを収納アドバイザー聞く。

発言ピックアップ型

- 天才？　いえ、努力の人ですよ、私は。
- これからは、“言葉の時代”です。

疑問投げかけ型

- 今どき大学生の新常識、いくつ知っていますか？
- まだ、ジムでやっているのは筋トレだけ？

どのようなタイトルにするかは、何を誰に訴えたいかによります。どんな内容、表現なら読んで欲しい人の共感や興味を引くことができるか、さまざまなタイプのタイトルを書いてみます。プロでも、1本の原稿で20本、30本と候補を考えることがあります。新人なら編集長や先輩に50本考えろと言われることもあります。

リード　記事の予告

タイトルのすぐあとにあり、タイトルを補足して内容を紹介するのがリードです。「こんないいことが書いてあるから読みましょう」と、文字どおり読者をlead（誘導）していく役割を果たします。内容は、記事の趣旨やぜひ読んで欲しいポイントを読者の興味と関心を呼ぶようなメッセージとして紹介します。

記事によっては、リードを長めにとり（文字数を多くとる）、先程述べた本文の冒頭の内容を、ここに書きます。リードが長い場合でも、簡潔でリズムよく読める文を目指します。

タラシ　タイトルをサポートする

タイトルよりも小さく、本文よりも大きな文字で見出しのように入っているのがタラシです。タラシはタイトルで伝えきれないことを補ったり、タイトルとは違う角度から誌面の内容を伝えたりする役目があります。ときには、誌面をバランスよく構成するためにデザイナー（誌面のデザインをするグラフィックデザイナー）から書くように提案されることもあります。写真の横に、写真のタイトルのように入っていることもあれば、写真と文字の空きスペースにあることもあります。

誌面を読むときには、大きな文字が目に入ります。タイトルの次に目立つ部分なので、有効に使いましょう。

小見出し　飽きずに読ませる

本文の途中に少し大きめの活字、もしくは太文字で、1〜3行ほどの小見出しが入ります。これは本文が長く続く場合でも最後まで集中して読んでもらうための工夫です。内容が一区切りしたところで、次の展開の予告をして興味をひきつける役割を果たします。次に続く本文のポイントやインタビュイーのキャッチーな発言などが用いられます。

キャプション　写真やイラスト、図の説明

雑誌の記事には文字だけでなく、写真やイラスト、図版といったビジュアル要素があります。それらを説明する短い文章のことをキャプションといいます。たいてい本文よりも小さい文字が使われています。

雑誌をパラパラとめくっていて、ビジュアルが目に止まって、そのページを読み始めることがありませんか。ビジュアルはそのページに目を止めさせる重要な要素です。主役はビジュアルなので、その説明であるキャプションは簡単でいいのかというと、まったく反対です。

「え、この写真、なに？」（目を止める）→「へ〜、そうなんだ」（キャプションを読む）→「このページ、読んでみようかな」（本文を読む）

このような流れを生じさせることは少なくありません。

また、本文に導かれてビジュアルを見る→キャプションを読む、ということもあります。このとき、キャプションが単なるビジュアルの説明ではなく、新しい情報を伝えたり、単体で読んでも興味深いものであれば、その誌面はさらに内容が充実したものになります。

本文よりも先にキャプションを書くライターもいます。本文と内容が重なっても構いませんが、本文をよりわかりやすく、もしくは、興味深くする役割なので、本文をバックアップする意味でも新しい情報を提供したほうがその記事は充実したものになります。なお、一目瞭然のビジュアルをキャプションで説明する必要はありません。

以上が、一般的な雑誌の記事の構成要素です。どの要素から書き始めるか決まりはありませんが、本文の内容を決めたのち、書きやすいものから着手すると楽しく書き進めることができます。

WORK 14

どうする？
どう書く？

前出（202ページ）の「書き起こしデータ」を300〜400文字程度の記事原稿にしてください。書き起こしデータから感じられるインタビュイーの生き生きとした様子やインタビューの楽しい雰囲気が伝わる原稿にしてください。

どうする？
どう書く？

あるエッセイストの日常を紹介する記事を作成するために自宅を訪問しました。インタビュイーは猫と暮らしており、猫は最大の癒やしになっていると語りました。この写真は、インタビュイーが飼っている猫です。

記事をより面白くするストーリーを考え、それぞれ60文字程度のキャプションをつけてください。
（猫の名前、シチュエーションなどは自由です）

【写真1】

【写真2】

Column

インタビュー裏話 ⑬

自分を拡大する努力

ファッションやメイクに関心がある人の間では名前が知られている、ある50代のヘア＆メイクアップ・アーティストにインタビューをしたときに、彼女が述べた言葉が印象に残っています。

「遠回りしたけど、無駄なことはひとつもなかった」
「夢を実現するのに時間はかかったけれど、やってきたことは全部、今に繋がっている」

彼女は32歳になってから、ヘア＆メイクアップ・アーティストになるという、これまでとまったく違う新しい夢を追いかけ始めたのでした。一般的には高校卒業後に美容の専門学校で学ぶところからスタートするので、かなりといっていいほど遅いスタートです。

それまでの彼女の経歴はヘア＆メイクアップとはかけ離れたもので、学生時代はテニスに没頭、高校はテニスの強豪校である看護学校でした。インターハイにも出場しています。卒業後もテニス選手を続け、実業団でプレイしていました。彼女の強さの秘密は安定したフォームにあったといいます。テニスは腰を落として打つ姿勢が多いのですが、彼女のその姿勢には並外れた安定感がありました。というのは、呉服屋の娘として着物に親しむようにと、３歳から日本舞踊を習っていたからでした。日本舞踊も中腰の姿勢が大切で、幼いころから鍛えられていたのです。

実業団を退団してからは、家業の呉服店を手伝うようになりました。販売にはかかわりませんでしたが、顧客へのサービスとして行っていたヘア

＆メイクアップを担当。そして、化粧を施した人が一様に笑顔になるメイクの力に感動し、ヘア＆メイクアップ・アーティストになりたいと思ったのでした。また、呉服店では接客を通じて人との向き合い方も学んだそうです。

呉服店の顧客サービスで腕を磨きながら、3年がかりで憧れのヘア＆メイクアップ・アーティストの弟子となりました。そして、体育会系の根性で努力を重ねて独立、夢をかなえました。さらに、看護学校を出ており看護師としての資格を持っているため、有資格者しか施術の行うことのできないアートメイクの世界でも活躍しています。

どうでしょう。いっけん脈絡がなさそうにみえることが、次へと繋がっていますよね。人生がどのように展開していくか誰にもわかりませんが、どうなるにせよ、すべては自分のしてきたことの延長線上にしかありません。だから、自分に起こったことは、全部繋がっているのです。

インタビューをする際に、もっとも大切なのはインタビュイーの話すことを理解する姿勢だと思います。違う環境で違う人生を歩んできた人の話には、とうてい理解しがたいこともありますが、ここでいう理解とは、相手の生き方や考えに賛成するという意味ではありません。肯定や否定、正しいか間違っているかではなく、その内容を受け止めることです。これは、簡単なように思えて実はそうでもなく、つい「え、なんで!?」と疑問や非難の気持ちがわき上がってしまうこともあります。しかし、尊重すべきは自分の考えや思いではなく、インタビュイーのそれです。「そうなんだ」「そういうことか」「そういう考え方もあるのだ」「だから、そういうふうに思ったんだ」と受け止め、心の器に収めておくことが大切です。

かといって、器に封印したままでは面白い原稿は書けません。そこで、重要なのが「想像力」です。それが、自分とは違う人間を「理解する力」

になります。「想像力」を鍛えるにはどうしたらよいと思いますか。よく言われるのは読書で、そのほか、人に会うことも含め、なるべく多くの情報に触れておくことが重要です。さらには、自分自身が豊かな人間になることだと思います。つまり、「心の器を大きくする」ことですね。

やりたいこと、やったこと、知りたいこと、知ったことetc.……。まったく無関係に見えても、そのような経験はいつか何かと繋がります。経験は知識となり、理解につながって、ひいては人と繋がっていくのです。

インタビュアーに限らず、人とかかわる職に就くならば（もしくは就いているならば)、“自分を拡大する努力”が必要だと思います。仕事だけでなく、人として豊かになるためにも大切なことではないでしょうか。

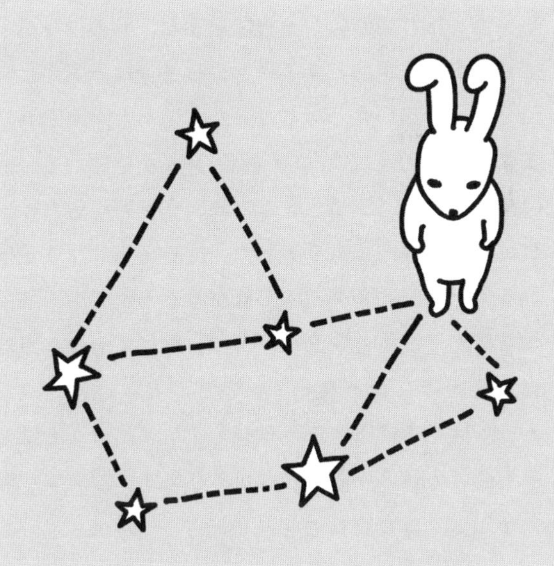

第14章

ストラテジー／9

オンライン・インタビューのコツ

画面越しの会話コミュニケーション

気持ちを推し量りながら質問を重ね、胸の内を語ってもらうことを目的とするインタビューは、実際に向き合って心を通い合わせることが大切だと考えられていました。しかし、コロナ禍をきっかけに、ZoomやGoogle Meet、Skypeなどのアプリを利用したインタビューも一般的になりました。国内外を問わず遠方にいる人ともリアルタイムで繋がることができ、移動時間も節約できるオンライン・インタビューは、もはや当たり前のこととなっています。とはいえ、実際に会って会話をするオフライン・インタビューとはマナーや会話の仕方が異なる点があります。留意すべきことを知っておきましょう。

オンライン・インタビューをする際のマナー

オンライン・インタビューでは、オフライン・インタビューとは異なるいくつかの準備が必要です。それを怠るとインタビュイーに対して失礼になったり、インタビューそのものがうまく進まなくなったりします。以下のことに注意しましょう。

相手が希望するアプリで行う

インタビューを申し込む手順はオフラインと同様ですが、オンラインでする場合、その時点で、どのアプリを使うかを確認しておきます。自分はZoomを使うつもりでいても、相手によってはSkypeやGoogle Meetが慣れているから、と希望することもあります。その場合は相手の希望に合わせましょう。

立ち上げ・リンクの連絡

アプリが決まったらホストである自分が会議を立ち上げ、メールで当日の招待URLを知らせます。知らせるのが早過ぎると当日、相手がメールを探す手間がかかるので、前日か前々日にメールをします。アプリが決まった時点で「前日（もしくは前々日）にリンクをお知らせします」と伝えておきましょう。

また、無料のアプリにはミーティングの制限時間が設定されているものがあります。インタビューが長引いて途中で切れてしまった場合の対策も立てておく必要があります。

事前にテストをする

日常的にオンラインで会議や授業を行っていれば別ですが、慣れていない場合には、友人などに協力してもらい、自分がどのように見えているか、音量、雑音がないかなどをチェックしておきます。自分でも映り方や音量を確認することはできますが、Wi-Fi環境やデバイスにより映り方や聞こえ方が違ってくるので、事前にチェックしておきましょう。画面共有で資料を示す予定がある場合は、スムーズに行えるように操作を確認します。なお、オンライン・インタビューはスマホでも可能ですが、画面の大きさや操作性からパソコンやタブレットを使うのがおすすめです。

ホストとしての心得

ネットが繋がる場所ならばインタビューはどこでも可能ですが、背景や雑音に配慮し、落ち着いて会話に集中し、メモを取ることができる場所、すなわち机かテーブルのある個室がベストです。

オフラインのインタビューでも、インタビューを申し込んだ側が先に待ち合わせの場所に到着するようにしますが、オンラインでも同様です。Wi-Fiの状況や機材の確認も含め、15分前には入るのが理想です。ネットでは思わぬアクシデントに見舞われることがあるので、準備は早めに、念入りに、行います。

カメラは常にオンにしておく

直接顔を合わせることができなくても、せめて画面の中で相手の顔を見ることができれば、声が聞こえるだけよりも、はるかに相手との距離を近くに感じることができます。だからといって、インタビュイーによっては、顔を出さずに音声だけでインタビューを受けたいというケースもありますから、画面表示を強いることは禁物です。自分が話しやすいからという都合でインタビュイーに不快な思いをさせることは得策ではありません。また、それなら自分もと、カメラをオフにするのはやめましょう。

第11章の「インタビュアーの自己開示」にあるように、初対面でも警戒心をといて、これまで話したことのない話をしてもらおうとするならば、インタビュアー自身もインタビュイーに心を開いていることを示す必要があります。少なくとも自分はカメラをオンにして、画面に語りかけましょう。また、相手がカメラオフにしているため画面にアイコンしか映っていなくても、相手から自分は見えていることを忘れずに。

カメラ映りを気にする

オンライン・インタビューでは、実際に会っているときよりも相手の顔を見ている時間が多くなります。そのため細部まで目が行きがちです。自分が見られていることを意識しましょう。画面では小さな乱れも目立ちます。シャツの襟元の左右のズレなど細かい部分も整えます。

アクセサリーは要注意です。顔がアップになるため、頷くたびに揺れるピアスやイヤリングは相手にとって目障りです。また、ヘッドセット（マイクとイヤホンがセットになっているもの）を使っていると、マイクがチャラチャラという音を拾ったりすることもあるので気をつけましょう。

【画面に映る自分の大きさ】

遠すぎる

相手に興味がなさそうに見えてしまう

適切な大きさ

相手に自分の情報が伝わりやすく、親近感を持ちやすい

近すぎる

相手に圧迫感を与える

【カメラ位置の調節】

伏し目にならないよう、
ノートPCやタブレットの角度や高さを調節する

覗き込まない

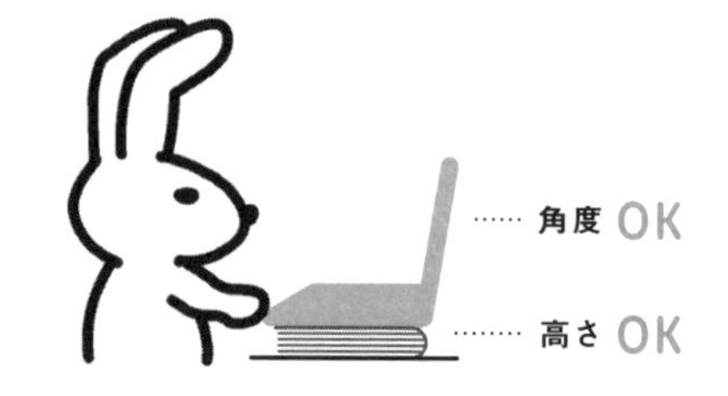

人と話すときは、互いの距離が物理的に遠いよりも、近いほうが心の距離も近く感じるものです。親しい友人や恋人との距離が近いのと同じです。画面の中で自分の姿が小さいよりも大きいほうが、インタビュイーは自分に対して関心が高いように感じます。かといって、あまり画面にいっぱいでも圧迫感があるので、上図のように画面全体の約1/3くらいが話しやすい大きさです。

PCやタブレットのカメラ位置と角度も対面で話している雰囲気に近づけます。ありがちなのが、カメラ位置が低く、アングルが下方過ぎるケースです。相手からは常に目を伏せているように見え、暗い印象になってしまいます。PCの下に箱や本を置き、高さと角度を調整し、顔が正面に見えるようにしましょう。

また、画面表示はインタビュイーと1対1なら、スピーカーズビュー（話している人が表示される）でも二人が映る2分割のどちらでも話しやすさはそれほど変わりません。二人以上が参加する場合には、スピーカーが大きく、その他の人が小さく映る画面表示だと臨場感が出ます。

背景は情報の宝庫

インタビュイーがバーチャル背景を使っていなかったとします。「○○さんのイメージにぴったりのシンプルなインテリアだな」「さすが、本がたくさんあるなあ」「ぬいぐるみがある！　可愛い一面があるのかも」——背景は、その人を語る情報に満ちています。相手に心を開いてもらうことを求めるのなら、自分も隠すべきではありません。

但し、オフラインでインタビューするときに服装に気をつけるように、背景にも気を配りましょう。洗濯物や脱ぎ捨てた衣類は片付けて。ごちゃごちゃに物が詰め込まれた棚は映らないように、もしくは、きちんと整理しましょう。自分が相手を見ているように、相手からも意外と見られています。ちょっとグリーンインテリアが見えるように、といった演出をしてもよいでしょう。

適切と思える場所がなかったら、背景をぼかす機能を使ったり自分の背後にカーテンやシーツの布をたらしたりします。それでもバーチャル背景よりは「自分を隠している感」は少なく見えます。

バーチャル背景は使ってもいい？

オフィスや学校にいるときにはそれほど気にはなりませんが、自宅からアクセスしている場合、プライベート空間を見せるのが不都合な場合もあります。そこで、便利なのがバーチャル背景です。自然の風景やアニメの世界のような絵などさまざまな背景が選べるほか、自分で用意した画像を使うこともでき、プライベートな空間を見られたくないときに助かります。しかし、インタビューの際には自己開示のひとつとして、できればバーチャル背景は使用せず、こちらの情報をできるだけ多く提供したいものです。

バーチャル背景にする場合には、オフラインで行う場合に想定される場所—オフィスや学校など—の写真を撮ってストックしておき、それを背景にすると違和感がありません。海辺の景色の画像やどこかの街の風景、アニメのワンシーンといった、現実とあまりにもかけ離れた背景は避けましょう。話す内容と背景がまったくそぐわないと違和感が生じます。インタビューは互いに生身の人間として対峙するものです。背景といえども、自分らしさを伝えるもののほうが、相手は安心します。

音声をオフにしない

会議や授業など人が大勢いるときは、話している人以外は音声をオフにしていることが多いのですが、インタビューならば相手が話しているときでもオフにする必要はありません。よほど生活音がうるさい場合は別ですが、5分も10分も一人が話し続けるわけではないので、いつでもどちらかが話せる状態にしておくべきです。自分が話すときについうっかりマイクをオンにし忘れることも防げます。

家族やペットがいて、話し声や鳴き声がたまに入る程度ならご愛嬌です。こちらの生活感を伝えることは自己開示のひとつであり、場を和ませるのに一役買うこともあります。もちろん、事前に家族に音を立てないよう頼んでおいたり、鳴き続けるペットならば別の部屋に移動させたりできれば安心です。画面に入り込んだり鳴き声が入ったりするのが懸念される場合は「ペットが邪魔をしに来たらご容赦ください」と断りをいれておきましょう。

質問する前にすること

相手が画面に登場したら、対面のインタビューと同じように挨拶や自己紹介をしますが、オンラインの場合には音声の確認なども必要です。質問の前に以下の手順で行いましょう。

1. 挨拶、自己紹介
2. 音量、聞こえ方の確認・調整
3. 雑談→インタビューの趣旨の説明
4. 録画・録音の許可

まず挨拶をしたら、インタビューを受けてくれたことに対する感謝を述べ、自己紹介をします。このときに、音声がしっかり届いているかを相手に確認します。そして、本題に入る前に、「ちょっと緊張しているんですが」「SNSをいつも拝見しています」など、雑談をしておくと少しリラックスできます。それから、予め伝えておいたインタビューの趣旨を再度説明します。質問に入る前には、録画や録音をしてもよいかの確認をします。必ず了承をもらってから収録をスタートしましょう。

画面越しの会話をスムーズにする

インタビュアーの“聞く態度”は会話を盛り上げるのに重要な要素です。対面のインタビューとは音声、非言語情報ともに伝わり方が異なるので意識すべきことがあります。

一文を短くして話す

オンラインの場合、Wi-Fi環境や機材によって音声に差が出ます。問題なく聞こえているようでも、視覚情報の制限と相まって、どうしても実際の会話よりは細かいニュアンスが伝わりにくくなります。マイクやイヤホン、ヘッドセットなどを用いれば、だいぶ改善されますが、相手に準備がない場合もあります。インタビューのはじめに「聞こえにくくないですか」とたずね、「大丈夫です」という応答があっても、「声が聞こえる」のと、「ニュアンスまで伝わる」のとは違います。

長々と話していると聞いているほうは集中力が途切れがちになるので、一文をなるべく短くし、表情やジェスチャーを大きめにしたり、キーワードの冒頭を際立たせたりすると、より伝わりやすくなります。

不用意にあいづちを打たない

あいづちは少なめにします。話を聞きながら「はい」「ええ」「そうなんですか」といったあいづちは、聞いていることのサインとして相手に伝わり、話を盛り上げるのに重要な役割を果たしますが（第6章参照）、オンラインのときは、こちらが「ええ」と言っただけでも、「なにか話すのかな」と思われて、相手が話を中断してしまうことがよく起こります。そのため、あいづちは少なめにし、そのぶん頷きや表情、しぐさで「聞いている」ことをアピールします。

また、画面の中の相手を見つめているだけでなく、オフライン・インタビューのときのようにノートも必ず手元に用意し、メモをとります。筆記している様子も、熱心に聞いているサインになります。もちろん、ポーズというだけではなく、大切な話を記録したり、新しく考えた質問などを書き留めたりしておきます。

リアクションを大きめにする

熱心に聞いていることが伝わると、話しているほうは安心します。「興味をもって聞いてくれているから、もっと話そう」と、さらに先を続ける気にもなります。インタビュアーの“聞く態度”は会話を盛り上げるのに重要な要素ですが、オンライン・インタビューでは、このような表情や態度が伝わりにくくなります。

こちらの反応をしっかりと伝えるために、リアクションをいつもよりも大きめにしましょう。少しオーバーに思うくらいでも意外とわざとらしくは見えないものです。「頷く」「目を見開く」「のけぞる」など、表情や身振り、手振りで素直に感情表現をしましょう。

スマートに終わらせる方法

話を聞き終わり、校正や掲載のスケジュールなども確認したら、お礼を言ってインタビューを終えます。このとき、どちらが先に退出する（オフにする）べきでしょうか。互いに先に退出しては失礼になると思い、相手がオフにするのを待っていると、気まずい時間が流れます。こちらとしては、ゲストであるインタビュイーが退出するのを待ちたいところですが、もし、相手が遠慮していることが察せられたら、「では、こちらが立ち上げたので、私の方から失礼します」といってから先に退出するとスマートに終わらせることができます。

Column

インタビュー裏話 14

「会えばなんとかなる」と思っていたけれど

コラムなど小さい掲載スペースのときに、電話で話を聞くことはありましたが、「心の機微に触れるようなことまでしっかり話してもらうなら、直接会って話さないと記事は作れない」と思っていました。デジタルネイティブ世代には想像できないと思いますが、インタビューは対面にこだわらざるを得なかったのです。電話だと相手の表情が見えないので間のとり方が難しくてやりにくいし、ZoomやSkypeは知っていたもののグローバル企業などが会議で使うという認識で、一般的ではありませんでした。

ところが、コロナ禍で状況は一変。多くの会社がリモートワークを取り入れ、アカデミックなシーンでも学会発表や授業が、一時期はほとんどがオンラインで行われました。インタビューも同様です。Zoomでのインタビューが行われるようになりました。ネット環境さえ整っていれば、多忙で時間の取りにくい人にでも、海外など遠方に在住の人にでも、インタビューできるのです。当初は会えないから仕方なくZoomを選択していましたが、そのうちに以前は遠方だからと諦めていた（時間や経費の関係で）相手にもインタビューが申し込めるので「Zoomっていいね」という話になってきました。コロナ禍が一段落してからも「オンラインで済むならオンラインで」という風潮になりました。

コロナ禍でインタビューの常識やインタビュアーの意識はいろいろな面で変わりました。もはや、直接「会えない」ことはインタビューを諦める理由にはなりません。オンラインとオフラインは共存し、それぞれの特長がより明確になり、使い分けられています。そのようななかで、「直接話を聞くほうが、絶対にいいインタビューができるから会いたい」とも言っていられません。写真撮影はできませんが、顔写真なら相手が持っているものを借りたり、イラストを使ったりしています。

とはいえ、実際に会って話を聞くのとオンラインとでは、やはり違います。「その場の雰囲気や空気感」「画像ではなく生身の人間と接する感覚」は、会話コミュニケーションになんらかの影響を与えているはずです。

かつて原稿は「手書き」でした。それがワープロやパソコンになり、文字は「書く」よりも「打つ」ものへと変わりました。その過渡期には、「キーボードで書かれた原稿は面白くない」などと言われていたこともあります。確かに、書き手の感覚としても、パソコンを使うようになって書くものが変わったような気がします。どちらの原稿が面白いかはわかりませんが、訂正が簡単だし、肩コリは軽減されるし、入稿さえネットで行うようになったので、一部の作家を除き、「打つ」のが当たり前になりました。

私自身は「人と直接会って話したい派」で、難しいインタビューでも「会えばなんとかなる」という根拠のない自負もあります。しかし、インタビューに限らずコミュニケーションのあり方自体が変化しています。そして、オンラインならではの方法論も確立していくでしょう。

雑誌やwebは時代を色濃く反映するひとつの表現媒体です。活字媒体の記事は生成AIが作るようになると言う人もいます。手間を惜しまない職人的な頑固さも大切にしつつ、自分の手法に固執せず、時代の変化を積極的に受け入れていきたいと思います。

Interview

WORKの解答例とポイント

第1章　WORK 01

A. 今や「YouTuberといえば◯◯さん」と真っ先に名前が挙がる存在ですが、もう◯◯年も投稿されてるんですよね。そもそもどういう経緯でYouTuberになられたんですか。

〈ポイント〉有名人なので、YouTuberになったきっかけを公表している可能性がある。調べればわかることは聞かないのが前提。しかし、調べ方が悪くてわからなかったこともあり得るので、わかっている情報を挙げ、「あなたのことをきちんと調べている」ということを伝えたうえで質問する。

B. 最初の投稿は◯◯◯◯年でしたよね。相方に仕掛けたドッキリ、今見ても笑えます。あの動画はどういう狙いで作られたんですか。

〈ポイント〉最初の動画はYouTubeチャンネルで見られることが多い。簡単に調べられることを質問するのはインタビューのマナー違反である。最初にアップした動画について本人に聞くならば、まず動画の内容を知っていることを伝える。（過去の動画が何らの理由で見られない場合は、その旨を伝えたうえで聞く）

C. 今チャンネル登録者数は◯◯万人、動画も出せばすぐに◯◯万回視聴されますよね。数字はまだまだ伸びる勢いですが、YouTuberって数字でいうと登録者数と再生回数、どちらが気になるものですか。

〈ポイント〉YouTuberにとって登録者数や再生回数はデリケートな事項なので、あからさまに聞かず、まず「どちらが気になるものですか」とYouTuber全員に当てはまる一般論でも答えられる聞き方をする。一般論で返事が返って来たら、そこで「◯◯さんも、やっぱりそうですか」と個人の意見を聞く。ワンクッション置くことでぶしつけな印象を薄めることができる。

D. やめたいと思われたことはありませんか。飽きたとか、別のことがしたくなるとか。

〈ポイント〉YES, NOだけでなく、その理由も聞きたい。そこで、例を挙げて理由まで要求していることを伝える。

E. どんなときにやりがいを感じますか。動画の制作中ですか、あるいは視聴者に喜んでもらえたときとか？

〈ポイント〉抽象的な質問なので、例を挙げ、相手が答えやすいようにする。

F. 見ているほうは気楽に見られて楽しいんですけど、毎回、よいものを作るのって大変じゃないですか。顔も知られてるし。YouTuberって大変、と思われるのはどんなときですか。

〈ポイント〉 YouTuberや、その仕事をリスペクトしていることを伝えると、「この人なら理解してくれそうだ」と、本音を話してもらいやすくなる。

第2章 WORK 02

小説家をインタビュイーと想定した解答例

はじめまして。〇〇と申します。今回、インタビューをお引き受けいただいてありがとうございます。小説の大ファンで、いつかお会いできたらと思っていたんです。それで誌面のテーマが「丁寧な暮らし」ということで、エッセイやSNSですてきな暮らしを発信されている〇〇さんに、ぜひお話を伺いたかったんです。いろいろ教えてください。よろしくお願いします。

〈ポイント〉インタビューを申し込んだ理由を述べる。「どうしてもあなたの話を聞きたかった」という気持ちが伝わるように話す。

第3章 WORK 03

① 収入が気になるんですが、人気の職業なので、やっぱり大変なことになっていると思うんですよね。週1のレギュラーで月〇〇万円とのことですから、〇〇さんなら年収で1500万円は下らないかと。差し支えなかったら、同じ職業を目指す人が気になると思うので、教えていただけますか。

〈ポイント〉最初に仕事を評価している（人気の職業）ことを伝え信頼を得る。次に比較対象を挙げて反応をみる。さらに、単に好奇心からではなく聞く理由を伝え、答える必然性を生じさせる。

② 今のお仕事でステップアップされていますけれど、以前のお仕事もやりがいを感じてらしたと思うんですよね。それでも、転職された理由はなんだったんでしょうか。

〈ポイント〉 過去を否定せずに聞くことによって相手の過去も現在も肯定していることを表明し、理由を話しやすくする。

第3章 WORK 04

省略

第4章 WORK 05

会話_A

初めまして。今日はよろしくお願いします。映画、大人気ですね。初日に観たかったんですがチケットが取れなくて先週ようやく。もう、大泣きしちゃって。ラストシーンがすごかったー。

会話_B

ずっとお話を伺いたいと思っていました。あの時おっしゃったことに溜飲を下げた人が多いと思うんです。すっきりしたって。みんなが思っていたけれど言葉にできなかったことだから。誤解のないように読者に伝えますので、今日はいろいろ本音をお話いただけたらと思います。

会話_C

今日はよろしくお願いします。私服もお洒落でいらっしゃるんですね。やっぱりすてき。トレンドカラーの使い方がさりげなくて。テレビで拝見するたびに、センスのいい方なんだろうなって思っていたんです。

〈ポイント〉自分の感情を表現するときにスピーチレベルをダウンシフトする。

第5章 WORK 06

会話_A

今の若者にとっては夢を持つべきだというハラスメント、夢ハラですかね。

〈ポイント〉共感的理解 — 先取り

会話_B

フォロワーが多いほうが就活に有利という話もありますが。

〈ポイント〉共感的理解 — 確認

会話_C

すぐに巻き返すのは難しいということでしょうか。

〈ポイント〉共感的理解 — まとめ

第6章 WORK 07

省略

第7章 WORK 08

① すごく若々しく見えて実年齢が信じられません。髪型のせいですかね。とてもお似合いで。

〈ポイント〉現状を褒めると相手は謙遜して「実はかつらなんですよ」と言いやすくなる。

② 凄い話ですね。にわかには信じがたいですが。

〈ポイント〉最初に相手の発言の感想を、続いて"まったく否定するわけではない"というニュアンスで「本当ですか？」という気持ちを伝える。

③ おいしいものを食べてるときって本当に幸せすよね。カロリーとか炭水化物抜きとか、なんだか。

〈ポイント〉ダイエットを彷彿させる「カロリーとか炭水化物抜きとか、なんだか」のあとは完結させるとしたら「気にしてられないですよね」と続く。それに対する返答が明るい調子だったら「ダイエットとかしようと思われます？」（思わないですよね、というニュアンスで）などさらりと言ってみる。

第8章　WORK 09

① 貯金の総額って、どのくらいですか。〇〇さんが7憶円って、去年番組で貯金通帳を見せていましたから、△△さんなら、チャンネル登録者数1位ですから、10憶円は軽く超えてますよね。

〈ポイント〉事前に得た情報を引用する

② いつも服、カッコいいよね。どうしたらセンスよくコーディネートできるの？　毎日、出かける前に鏡で全身をチェックするって言ってたよね。どこをチェックするの？

〈ポイント〉以前の発言を引用する

③ なんでそんなにいつも試験の点数がいいの？　試験前の勉強だけじゃ無理だよね。やっぱり、授業の復習をその日のうちにするとか？

〈ポイント〉 一般論を引き合いにする

第9章　WORK 10

相手が嘘をついたとき。見栄を張った発言や自分を過大評価した発言を疑われたとき。（ただし、謙遜することによって真実でない発言をしたときは疑っても気分を害さない）。

例）

〇「3試合欠場したんで、勘が鈍ってうまくガードできなかったんですよね」
「え、そうですか？　相手の攻撃を全部カットしてたじゃないですか」

×「趣味は料理です。よくホームパーティをするんですが、大好評なんですよ」
「SNSで料理の持ち寄りパーティをアップされていましたが、いつもは全部ご自分ひとりで作られるんですか」

第10章　WORK 11

① ダイエット中にパンやご飯を朝晩食べていいんですか。炭水化物ダイエットが流行っていますが。

〈ポイント〉「流行っている」という一般論を引き合いにして、自分が反論しているわけではないことを伝える。

② え、さらにダラダラしちゃうんですか。よけい自己嫌悪にならないですか。

〈ポイント〉 相手の話に驚いてることを表明することで、しっかり話を受け止めていることを伝える。

③ ふつう下向いて歩くのは落ち込んでいるときだと思うんですが。

〈ポイント〉「ふつう」と、一般論を引き合いにして、自分が反論しているわけではないことを伝える。

第11章　WORK 12

①「私なんかは気が弱くて、萎縮して何も言えなくなりそう。どういうふうに切り出せばいいですか」

〈ポイント〉自分には難しいから教えて欲しい、という流れにすることでインタビュイーが話しやすくなる。

②「私、この前ライブに行ったら若い子ばかりで恥ずかしくなっちゃって。やっぱり年齢なんか気にしてたらダメですかね」

〈ポイント〉自分は恥ずかしかったがどうだったか、あなたはどうでしたか、という聞き方をすれば、不躾な聞き方にならない。年齢に対する考え方も同時に聞くことができる。

③「そもそも自分のスタイルがどんなふうなのか、どんなカラーなのか、わかってないような気がします。そういう場合はどうしたらいいですか」

〈ポイント〉塗り替える、カラー、スタイルといった言葉の意味が曖昧なので、どのような意味で用いているのかを知るために、答えにそれらの言葉が使われそうな質問をして探る。アドバイスを求める質問なので、わかりやすい答えが得られる。

第12章　WORK 13

〈ポイント〉

P183「自分の話し方を知るためのチェック項目」、P184「話の内容のチェック項目」、P186「ストラテジーを使った質問をしたかのチェック項目」のほかに、以下を確認する。
・初対面の挨拶やテーマの説明が適切か
・質問が棒読みでなく、「知りたい」という気持ちが伝わっているか
・集中して相手の話を聞いているように見えるか
・相手の気分を害するような質問をしていないか
など。

第13章　WORK 14

ダンスの練習は欠かさない、という〇〇さん。あれほどの仕事をこなしているにもかかわらず、趣味に割く時間があるとは驚きである。

「いやいや、時間がないというのは言い訳ですよ」

でも、仕事のスケジュールがいっぱいですよね？

「なにがなんでもひねり出すんですよ、時間は。やりたいことがあるなら。時間がないというのは時間の使い方が下手な人の言い訳です」

時間はひねり出すもの——1日をうまく使えばやりたいことのための時間は作れないはずがない、というのが持論。余った時間を好きなことに充てるのではなく、好きなことをするために、そのほかの時間を上手に使うのだ。

「好きなことをやる時間は持つべきです。人として必要。心のためにも」

どうしてもと思えばできるものですよとさらりと言い放ち、あははと笑った。

〈ポイント〉快活で小気味よい人物像が思い浮かぶのは、インタビューイーの発言に倒置法が多く、短い文がリズミカルに連なっていることにある。「　」内で倒置法の発言を生かし、地の文で意味を補足する。

第13章　WORK 15

写真 1）

遊びたいときだけしつこく甘えてくるが、あとは知らんぷり。〇〇さん曰く「あざとい系女子です。人間だったら相手を振り回すタイプ」。

写真 2）

初顔合わせはチョビが8才、ミケが3か月のとき。好奇心を抑えきれずに尻尾にちょっかいを出す。この日からずっと仲が悪い。

〈ポイント〉猫の模様（三毛、サビ）は写真を見ればわかるので書く必要はない。ちょっかいを出しているのがどちらかも写真を見ればわかるので書かない。「仲が悪い」といった写真だけではわからない情報を書く。

参考文献

安藤清志（1986）「対人関係における自己開示の機能」『東京女子大学紀要論集』36,pp.167-199,東京女子大学

——（1990）「「自己の姿の表出」の段階」中村陽吉（編）『「自己過程」の社会心理学』東京大学出版

井上優（1991）「受信情報の疑問文」『日本語シンポジウム：言語理論と日本語教育の相互活性化』pp.35-41,津田日本語教育センター

大久保瞳、高井秀明、浦佑大、辻章一（2020）「ジョハリの窓を用いた自己理解と個人のチームワーク能力との関係：A大学ハンドボール部女子を対象として」『日本体育大学紀要』49,pp.3027-3033,日本体育大学

王伸子（2017）「文末疑問を表す「〜か？」の音響的分析」『専修人文論集』100，pp.65-82,専修大学学会

大塚明子（2020）「４技能の運用の統合化と定着をはかる教室活動、「マガジンライティング」の提言」『日本語教育研究』66,pp.1-20,長沼言語文化研究所

——（2021）「ナラティブを引き出すインタビュー・ストラテジーの分析について —雑誌記事作成におけるインタビュアーの 言語行為に着目して—」『専修国文』109,pp.25-53,専修大学日本語日本文学文化学会

——（2022）「コミュニケーションを重視した質問発話—「か」の音調に着目して—」28th Princeton Japanese Pedagogy Forum PROCEEDINGS pp.73-82,Department of East Asian

郡史郎（2020）『日本語のイントネーション——しくみと音読・朗読への応用』大修館書店

津村俊充、山口真人（監修）（2005）『人間関係トレーニング第2版 私を育てる教育への人間学的アプローチ』ナカニシヤ出版

小川恭子、上里一郎（2003）「対人不安の発生過程 —自己呈示との関連—」『広島国際大学心理臨床センター紀要』2,pp.13-18,広島国際大学心理臨床センター

泉子・K・メイナード（1993）『会話分析』くろしお出版

高橋鷹志、西出和彦（1984）「対人距離の再考」『日本建築学会大会学術講演梗概集』59,pp.1463-1464,日本建築学会

水谷修（編）（1983）『話しことばの表現』筑摩書房

水谷信子（1993）「「共話」から「対話」へ」『日本語学』12(4),pp.4-10,明治書院

水野義道（1988）「中国語のあいづち」『日本語学』7,13,pp.18-23,明治書院

村瀬孝雄、村瀬嘉代子（編著）（2015）『全訂 ロジャーズ　クライエント中心療法の現在』日本評論社

カール・ロジャーズ（著）保坂亨、諸富祥彦、末武康弘（訳）（2005）『ロジャーズ主要著作集２ クライアント中心療法』岩崎学術出版社

Brown, P. & Levinson, S. (1987). *Politeness: Some universals in language usage.* Cambridge University Press.

Hall,Edward Twitchell（1966）*The Hidden Dimension*　日本語訳『かくれた次元』日高敏隆、佐藤信行共訳（1970）みすず書房

Labov ,William（1973）*SociolinguisticPatterns*.Philadelphia,PA: University of Pennsylvania Press.

著者紹介

大塚明子 Meiko Otsuka

東京女子大学卒業後、新聞社、市場調査会社、コンサルティング会社勤務を経てフリーランスに。およそ30年にわたり雑誌のディレクター兼ライターとして主にインタビューによる記事制作に携わる。メディアの仕事をしながら大学院で日本語学を学び、インタビュアーのストラテジーを研究。日本語教師も経験。現在、専修大学国際コミュニケーション学部非常勤講師。

あとがき

30年以上にわたり雑誌の仕事に携わってきました。そこで蓄積された「言葉」への興味が高じて大学院に入り、それまで無意識に手掛けてきたインタビューを学術的な見地から観察したところから、本書はスタートします。

商業雑誌のために行った著名人へのインタビューを分析したものは過去にないという研究の新規性を大学院で指摘され、それまで経験をもとに行ってきたインタビューを研究のテーマにしました。そして、それまで仕事で、ほとんど意識することなく行ってきた「気分を害することなく相手の心を開き、メディアに話したことのないことを能動的に話してもらう」ための言語行為にプロならではのストラテジーがあるのではないかという仮説のもと、自分以外のインタビュアーのデータも含め、さまざまな観点から分析したところ、興味深い結果が得られました。

それを「インタビュアーのストラテジー」としてまとめ学会で発表したところ、某出版社から「この研究を教科書にしませんか」と声をかけられました。その編集者によると、社会言語学や日本語教育、インタビューを必要とする大学の授業などでニーズがあるとのことでした。その後、私自身が大学の非常勤講師となり、留学生や編集学・出版学のゼミ生と関わる過程で新たな気づきもあり内容が固まりました。

いっぽうでインタビュー・ストラテジーは学術界だけでなく、広く会話コミュニケーションにおいても役に立つのではないかという声もあり、日常会話で人間関係をスムーズにするという切り口も加味しました。そして、紆余曲折を経て出版社が変わり、学会発表から5年を経て出版に至りました。

本書を書くに当たって多くの方の助言と指導をいただきました。メディア業界に長く身をおいてきた私に大学院への進学を勧め、その後指導教授としてインタビュアーの言語行為を研究するよう進言してくれた専修大学の王伸子教授には、中学校の同窓会で再会したことで人生を変えるきっかけをもらいました。また、研究や論文を指導してくださった丸山岳彦教授、阿部貴人准教授には感謝の念に堪えません。

そして、書籍化を実現するにあたっては出版のプロとして助言や提言をいただいた川上隆教授、そして本研究の趣旨を理解した上で、新たな価値を示してくださった田畑書店の大槻慎二さんにこの場を借りてお礼を申し上げます。また、素晴らしいアイデアで本書の体裁全般にわたりディレクションしてくれたデザイナーの西部亜由美さん、田島尚幸さん、紙面にウィットと楽しさをプラスしてくれたイラストレーターのsinoさんに感謝を表します。

2023年12月　大塚明子

田畑書店

インタビュー大全
——相手の心を開くための14章

2024年2月15日　第1刷印刷
2024年2月20日　第1刷発行

著　者　大塚明子（おおつか めいこ）

発行人　大槻慎二
発行所　株式会社　田畑書店
〒130-0025　東京都墨田区千歳2-13-4　跳豊ビル301
tel 03-6272-5718　fax 03-6659-6506

装丁・本文レイアウト　西部亜由美　田島直幸
カバー・本文イラスト　sino

印刷・製本　モリモト印刷株式会社

ISBN978-4-8038-0428-7 C0037

定価はカバーに表示してあります
乱丁・落丁本はお取り替えいたします